#홈스쿨링
#혼자공부하기

똑똑한
하루
글쓰기

Chunjae
Makes
Chunjae

▼

[똑똑한 하루 글쓰기] 2A

기획총괄	박진영
편집개발	전종현, 이재인, 김민숙, 백경민, 박지윤
디자인총괄	김희정
표지디자인	윤순미, 김지현
내지디자인	박희춘, 배미현
제작	황성진, 조규영

발행일	2021년 1월 15일 초판 2022년 11월 15일 4쇄
발행인	(주)천재교육
주소	서울시 금천구 가산로9길 54
신고번호	제2001-000018호
고객센터	1577-0902

2단계 Ⓐ 공부할 내용 한눈에 보기!

✦ 똑똑한 하루 글쓰기를 함께 할 친구들을 소개합니다.

바밤별에서 글쓰기를 배우러 온 외계인 친구 밤톨! 엉뚱발랄한 달래와 잘난 척 왕자 기찬을 만나
함께 공부하며 글쓰기 실력이 쑥쑥 자라고 있대요.

공부했으면 빈칸에 체크(v)해 줘!

매주 1일에는 이번 주에 무엇을 배울지도 함께 살펴보자.

2주

물건을 소개하는 글을 써 보자!

한 주 끝! 하루하루 꾸준히 하자!

4주

부탁하는 글을 써 보자!

똑똑한 하루 글쓰기
2단계 A
스케줄표

1주 ▶
편지를 써 보자!

5 일 78~83쪽 ☐	**4** 일 72~77쪽 ☐	**3** 일 66~71쪽 ☐	**2** 일 60~65쪽 ☐
물건을 소개하는 글 쓰기	다섯 고개 놀이로 물건 소개하기	물건의 쓰임 설명하기	물건의 냄새, 맛, 만진 느낌 설명하기

특강 84~91쪽 ☐
창의·융합·코딩 ➕ 누구나 100점 테스트

3주 ▶
독서록을 써 보자!

1 일 92~101쪽 ☐
인물 카드 만들기

대단해!
꾸준히 공부해서 한 권을 끝냈구나.

특강 168~175쪽 ☐	**5** 일 162~167쪽 ☐	**4** 일 156~161쪽 ☐	**3** 일 150~155쪽 ☐
창의·융합·코딩 ➕ 누구나 100점 테스트	부모님께 부탁하는 글 쓰기	친구에게 부탁하는 글 쓰기	부탁하는 까닭 쓰기

글쓰기 공부를 도와주는 글봇과 말하는 판다 판판도 글쓰기 공부를 함께 할 거예요.
글쓰기 채널을 운영하는 똑똑TV 똑똑이와 술술TV 술술이도 기억해 주세요.

글쓰기, 어떻게 시작할까요?

똑똑한 글쓰기 질문 하나! 글쓰기 공부 왜 필요할까요?

자신의 생각을 표현하는 수단이자 모든 학습의 바탕이 되는 활동이 바로 글쓰기예요. 특히 배운 내용을 정리하고, 이해한 것을 글로 풀어내는 글쓰기 능력은 모든 과목 학습 성취에 큰 영향을 끼친답니다.

똑똑한 글쓰기 질문 둘! 계속되는 글쓰기 공부의 실패 원인은 무엇일까요?

글쓰기를 시작하는 순간부터 아이들은 무엇을 써야 할지, 어떻게 표현할지, 어떻게 고쳐야 자연스러울지 등 많은 고민을 하게 되고, 이를 힘들어한답니다. 이렇게 복잡하고 어려운 글쓰기 과정이 익숙해지지 않았을 때 "이것 한번 써 보렴." 하고 과제를 주면 돌아오는 대답은 "엄마, 글쓰기가 싫어요!"일 수밖에 없을 거예요. 그래서 『똑똑한 하루 글쓰기』는 아이들이 차츰 글쓰기에 익숙해지고 재미를 붙여 나갈 수 있도록 만들었답니다.

똑똑한 글쓰기 질문 셋! 글쓰기 공부 어떻게 시작해야 할까요?

쉽고 재미있는 『똑똑한 하루 글쓰기』로 시작해 보세요. 만화와 게임 형식의 문제로 글쓰기 개념을 익히고, 낱말 쓰기부터 한 편 쓰기까지 단계별로 글쓰기를 연습할 수 있어요. 그리고 받아쓰기를 통해 맞춤법 실력을 키우고, 내 생각 쓰기로 마무리하며 창의적 글쓰기까지 연습할 수 있답니다. 하루하루 꾸준히 공부해서 한 권을 끝내면 글쓰기 실력과 함께 자신감도 쑥쑥 자랄 거예요.

진짜 똑똑한 글쓰기를 시작해 볼까요?

똑똑한 하루 글쓰기로
똑똑해지자!

똑똑한 하루 글쓰기!
왜 똑똑한 하루 글쓰기일까요?

1 10분이면 **하루 글쓰기 끝!** 쉽고 재미있는 글쓰기 공부!

2 교과 학습 과정을 반영한 **갈래별 글쓰기!** 매주 다양한 갈래로 즐거운 학습!

3 **단계별 글쓰기**로 글쓰기 실력 향상! 낱말 쓰기부터 한 편 쓰기까지!

4 **받아쓰기**로 기초 실력 다지기! 맞춤법 실력이 쑥쑥!

5 **창의·융합·코딩**으로 사고력 넓히기! 생활 어휘부터 코딩 학습까지!

구성과 활용 방법

주 도입

한 주 동안 공부할 내용을 만화로 미리 살펴보고, 한 주의 글쓰기 개념을 만화와 문제로 확인합니다.

똑똑한 하루 글쓰기 코스

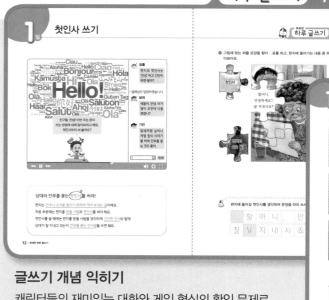

글쓰기 개념 익히기

캐릭터들의 재미있는 대화와 게임 형식의 확인 문제로 핵심 글쓰기 개념을 익힙니다.

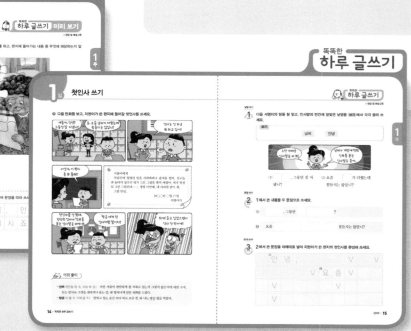

단계별 글쓰기

다양한 글쓰기 상황을 살펴보고, '낱말 쓰기 → 문장 쓰기 → 한 편 쓰기'를 단계별로 학습하며 쉽고 재미있게 글쓰기를 연습합니다.

받아쓰기

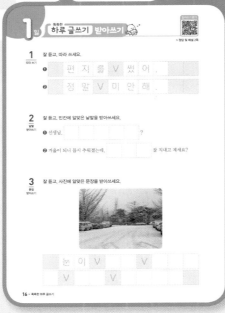

받아쓰기
'따라 쓰기 → 낱말 받아쓰기 → 문장 받아쓰기'를 통해 글쓰기 개념에 맞는 문장을 익히고 맞춤법 실력을 다집니다.

내 생각 쓰기로 마무리
하루 학습 목표에 맞게 제시된 주제에 대한 내 생각 쓰기로 하루의 글쓰기 학습을 마무리합니다.

주 특강

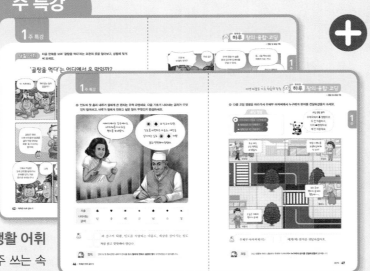

생활 어휘
생활 속에서 자주 쓰는 속담과 관용어의 뜻과 쓰임을 만화로 익힙니다.

창의·융합·코딩 미션
게임 형식의 창의·융합·코딩 미션을 해결하며 재미있게 한 주의 중요 어휘를 확인하고 다양한 배경지식을 넓힙니다.

누구나 100점 테스트

누구나 100점 테스트
한 주 동안 공부한 내용을 평가하며 갈래별 글쓰기 실력을 확인합니다.

친구들과 약속해요!

우리 같이 약속해요!

첫째, 하루하루 빠짐없이 꾸준히 공부하기!

둘째, 하루 글쓰기 문제 끝까지 다 풀기!

셋째, 또박또박 바르게 글씨 쓰기!

약속하는 사람 _____

쉽고 재미있는
『똑똑한 하루 글쓰기』로
첫 글쓰기 공부를 시작해 봐요.

똑 똑 한

하루
글쓰기

2 단계
A
1~2학년

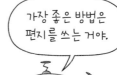

끝인사와 쓴 날짜, 쓴 사람도 써야 해.

사랑하는 부모님께
잘 지내시죠?
너무 보고 싶어요. 글쓰기를 완벽히 익히고 곧 돌아갈게요.
항상 건강하시길 빌게요.
20○○년 5월 1일
밤톨 올림

맞아. 누가 언제 썼는지도 중요해.

휴~, 힘들었지만 빠진 내용 없이 편지를 다 썼어!

그런데 먼 바밤별까지 편지는 어떻게 보낼 거야?

이 장치로 바밤별에 가서 편지를 두고 오면 되지!

그렇게 간단히 갈 수 있는 거였어?

지이잉~

편지를 써 보자!

1-1 다음 중 편지에 대한 설명으로 알맞은 것을 골라 ◯표를 하세요.

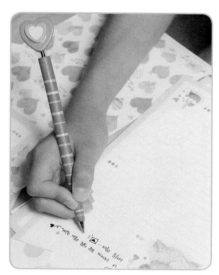

(1) 안부나 소식을 알리기 위하여 적어 보내는 글

(   )

(2) 그날 있었던 일 중에서 인상 깊었던 일과 그 일에 대한 생각이나 느낌을 쓴 글   (   )

1-2 다음 대화를 읽고, 두 친구가 어떤 글을 쓰면 되는지 빈칸에 알맞은 말을 쓰세요.

안부나 소식을 알리기 위하여 적어 보내는 글인 ㅍ ㅈ 를 쓴다.

▶ 정답 및 해설 2쪽

2-1 다음은 편지에 들어가야 하는 내용 중 무엇에 대한 설명인지 골라 ◯표를 하세요.

> 편지를 시작하면서 상대의 안부를 묻는 인사말이다.

(1) 받을 사람 (   )　　(2) 첫인사 (   )　　(3) 전하고 싶은 말 (   )

(4) 끝인사 (   )　　(5) 쓴 날짜 (   )　　(6) 쓴 사람 (   )

2-2 다음 편지의 빈칸에 들어갈 내용으로 알맞은 것을 골라 따라 쓰세요.

받을 사람	단짝 서영이에게
	잘 지냈니? 전학 간 학교에서 친구는 많이 사귀었어?
전하고 싶은 말	네가 잘 지내고 있는지 궁금해서 편지를 썼어. 네가 전학 간 지도 벌써 3개월이 지났잖아. 정말 보고 싶다, 서영아. 　방학이 되면 너희 집에 놀러 가도 된다고 부모님께 허락도 받아 놓았어. 방학이 무척 기다려진다.
끝인사	건강하게 잘 지내.
쓴 날짜	20◯◯년 ◯월 ◯◯일
쓴 사람	친구 은아 씀

칭　찬　　　　첫　인　사

1일 첫인사 쓰기

> **밤톨**
> 편지의 첫인사는 '안녕' 하고 간단히 하면 될까?

— 달래님이 입장하였습니다.

> **달래**
> 얘들아, 안녕. 비가 많이 오던데 다들 괜찮니?

> **기찬**
> 달래처럼 날씨나 계절 등의 이야기를 하며 안부를 묻는 것도 좋아.

> 친구들, 안녕! 이번 주는 편지 쓰는 방법에 대해 알아보려고 해요. 첫인사부터 써 볼까요?

상대의 안부를 묻는 첫인사를 써라!

편지는 안부나 소식을 알리기 위하여 적어 보내는 글이에요.

처음 부분에는 편지를 받을 사람과 첫인사를 써야 해요.

첫인사를 쓸 때에는 편지를 받을 사람을 생각하며 간단한 인사와 함께

상대가 잘 지내고 있는지 안부를 묻는 인사말을 쓰면 돼요.

◉ 그림에 맞는 퍼즐 모양을 찾아 ◯표를 하고, 편지에 들어가는 내용 중 무엇에 해당하는지 알아보아요.

할머니, 안녕하세요? 잘 지내시죠?

 편지에 들어갈 첫인사를 생각하며 문장을 따라 쓰세요.

| | 할 | 머 | 니 | , | | 안 | 녕 | 하 | 세 | 요 | ? |
| 잘 | V | 지 | 내 | 시 | 죠 | ? | | | | | |

● 다음 만화를 보고, 지한이가 쓴 편지에 들어갈 첫인사를 쓰세요.

지윤이에게
　지난주에 있었던 일을 사과하려고 편지를 썼어. 친구들과 놀다가 실수로 네가 그린 그림을 찢어 버렸어. 네가 열심히 그린 그림인데……. 정말 미안해. 내 사과를 받아 줘.
그럼 안녕.

20○○년 ○월 17일
지한이가

🐭 **어휘 풀이**

▼**안부**|편안할 안 安, 아닐 부 否|　어떤 사람이 편안하게 잘 지내고 있는지 그렇지 않은지에 대한 소식.
　　또는 인사로 그것을 전하거나 묻는 일. **예** 할머니께 <u>안부</u> 전화를 드렸다.

▼**방금**|모 방 方, 이제 금 今|　말하고 있는 순간 보다 바로 조금 전. **예** 나는 <u>방금</u> 밥을 먹었어.

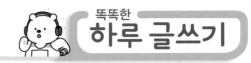
낱말 쓰기

다음 서영이의 말을 잘 읽고, 인사말의 빈칸에 알맞은 낱말을 보기 에서 각각 골라 쓰세요.

보기

날씨   안녕

(1) ☐ ☐ , 그동안 잘 지냈니?

(2) 요즘 ☐ ☐ 가 더웠는데 힘들지는 않았니?

문장 쓰기

1에서 쓴 내용을 두 문장으로 쓰세요.

❶ ☐ ☐ , 그동안 ☐ ☐ ☐ ?

❷ 요즘 ☐ ☐ ☐ 힘들지는 않았니?

한 편 쓰기

2에서 쓴 문장을 차례대로 넣어 지한이가 쓴 편지의 첫인사를 완성해 쓰세요.

똑똑한
하루 글쓰기 받아쓰기

▶ 정답 및 해설 2쪽

1
따라 쓰기

잘 듣고, 따라 쓰세요.

❶ 편 지 를 V 썼 어 .

❷ 정 말 V 미 안 해 .

2
낱말
받아쓰기

잘 듣고, 빈칸에 알맞은 낱말을 받아쓰세요.

❶ 선생님, [   ] ?

❷ 겨울이 되니 몹시 추워졌는데, [   ] 잘 지내고 계세요?

3
문장
받아쓰기

잘 듣고, 사진에 알맞은 문장을 받아쓰세요.

눈 이 V   V

V   V

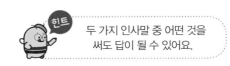
● 다음 그림을 보고, 빈칸에 알맞은 첫인사를 보기 에서 골라 써서 편지를 완성하세요.

보기

시원아, 안녕? 날씨가 몹시 추워졌는데 건강히 잘 지내고 있니?

시원아, 네가 전학 간 지도 시간이 꽤 지났구나. 잘 지냈니?

힌트 두 가지 인사말 중 어떤 것을 써도 답이 될 수 있어요.

시원이에게

＿＿＿＿＿＿＿＿＿＿＿＿＿＿＿＿＿＿＿＿＿＿＿＿＿＿＿

＿＿＿＿＿＿＿＿＿＿＿＿＿＿＿＿＿＿＿＿＿＿＿＿＿＿＿

전학 간 학교에서는 친구를 많이 사귀었니? 네가 많이 보고 싶어. 곧 방학이 되면 친구들과 함께 너희 집에 놀러 갈게. 다시 만날 생각에 벌써부터 마음이 설레.
그럼 안녕! 건강히 잘 지내고 있어.

20○○년 ○○월 17일

지한이가

전하고 싶은 말 쓰기 ①

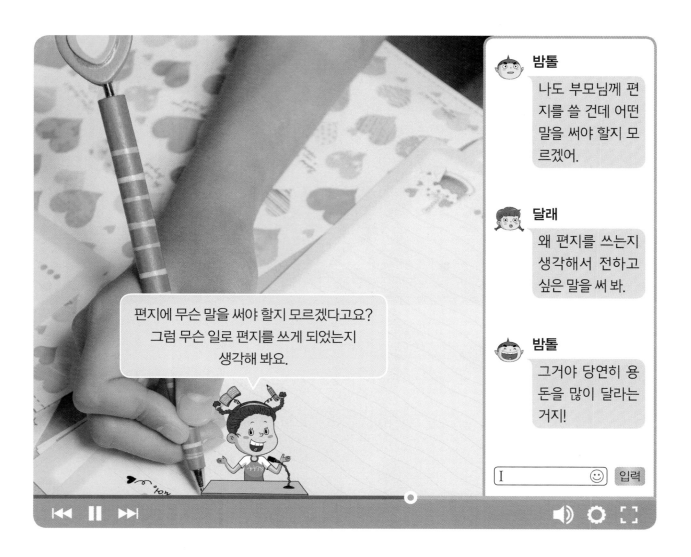

밤톨
나도 부모님께 편지를 쓸 건데 어떤 말을 써야 할지 모르겠어.

달래
왜 편지를 쓰는지 생각해서 전하고 싶은 말을 써 봐.

밤톨
그거야 당연히 용돈을 많이 달라는 거지!

편지에 무슨 말을 써야 할지 모르겠다고요?
그럼 무슨 일로 편지를 쓰게 되었는지
생각해 봐요.

무슨 일로 편지를 쓰는지 전하고 싶은 말을 써라!

전하고 싶은 말을 쓸 때에는 편지를 쓴 까닭이 잘 드러나게 써야 해요.

무슨 일 때문에 편지를 썼는지 받을 사람이 정확하게 알 수 있도록

전하고 싶은 말을 분명하고 알기 쉽게 쓰면 돼요.

▶ 정답 및 해설 3쪽

● 사다리 타기를 하여 도착한 곳의 낱말을 따라 쓰며, 편지에 전하고 싶은 말을 쓰는 방법을
알아보아요.

전하고 싶은 말을
쓸 때에는

무슨 일 때문에
편지를 썼는지

전하고 싶은 말을

분 명 하고
알기 쉽게 써요.

받을 사 람 이
정확하게 알 수 있도록 써요.

편지를 쓴
까 닭 이 잘
드러나게 써요.

● 다음 이야기를 읽고, 아라의 편지에 들어갈 내용을 쓰세요.

영양사 선생님께 전하고 싶은 말

점심시간, 아라는 밥을 다 먹고도 영양사 선생님의 눈치를 살피면서 일어나지 않고 우물쭈물하고 있었습니다.

"아라야, 왜 호두멸치볶음은 하나도 먹지 않았니? 골고루 먹어야지."

"저, 그게……."

사실 아라는 호두를 먹으면 몸에 두드러기가 나는 알레르기 때문에 호두가 들어간 반찬을 남긴 것이었습니다. 하지만 아라는 괜히 부끄럽고 죄송해서 제대로 대답할 수가 없었습니다.

'영양사 선생님께서 내가 반찬을 남긴 일 때문에 실망하시면 어쩌지?'

집으로 돌아온 아라는 영양사 선생님께 편지를 쓰기로 했습니다.

어휘 풀이

▼ **두드러기** 약이나 음식을 잘못 먹거나 또는 환경의 변화로 인해 생기는 피부병의 하나. 피부가 붉게 부르트며 몹시 가렵다. 예 새우 알레르기 때문에 두드러기가 났다.

▼ **알레르기** 어떤 물질이 몸에 닿거나 몸속에 들어갔을 때 그것에 반응하여 생기는 불편하거나 아픈 증상. 예 나는 꽃가루 알레르기가 있어서 봄만 되면 재채기를 한다.

낱말 쓰기

 1 단계 다음 그림에 나타난 아라의 모습을 보고, 빈칸에 알맞은 낱말을 각각 쓰세요.

내게 **실망**하셨을 거야.

저는 **호두**를 먹을 수 없어요.

(1) 아라는 반찬을 남긴 일 때문에 영양사 선생님께서 ☐☐ 하실까 봐 편지를 쓰기로 하였다.

(2) 아라는 ☐☐ 를 먹으면 몸에 두드러기가 난다.

문장 쓰기

 2 단계 **1**에서 답한 내용을 바탕으로 아라가 영양사 선생님께 전하고 싶은 말이 무엇일지 두 문장으로 정리하여 쓰세요.

❶ 오늘 제가 ☐☐☐☐☐☐☐☐☐ 일 때문에 영양사 선생님께서 ☐☐☐☐☐ 편지를 쓰기로 했어요.

❷ 저는 ☐☐☐☐☐☐☐ 몸에 두드러기가 나요.

한 편 쓰기

 3 단계 **2**에서 완성한 문장을 넣어 편지에 들어갈 전하고 싶은 말을 완성해 쓰세요.

그래서 호두가 들어간 반찬을 남긴 거예요.

▶ 정답 및 해설 3쪽

1
따라 쓰기

잘 듣고, 따라 쓰세요.

❶ | 골 | 고 | 루 | V | 먹 | 어 | 야 | 지 | . |

❷ | 부 | 끄 | 럽 | 고 | V | 죄 | 송 | 해 | 서 |

2
낱말
받아쓰기

잘 듣고, 빈칸에 알맞은 낱말을 받아쓰세요.

❶ 다음 주에 할아버지 ☐ 에 놀러 갈게요.

❷ 생일잔치를 하고 ☐☐☐ .

3
문장
받아쓰기

잘 듣고, 그림에 알맞은 문장을 받아쓰세요.

| 너 | 와 | V | | | | | | V | |
| | | V | | | | V | | | |

● 여자아이가 아빠께 편지로 전하고 싶은 말이 무엇일지 보기 에서 한 가지를 골라 써 보세요.

보기

주말에 가족 여행을 가자고 하기

학교 행사에 와 달라고 하기

혼자 하기 힘들었던 것을 같이 해 달라고 하기

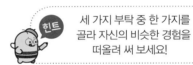

힌트 세 가지 부탁 중 한 가지를 골라 자신의 비슷한 경험을 떠올려 써 보세요!

아	빠	,		부	탁	드	리	고
싶	은		것	이		있	어	요	.

전하고 싶은 말 쓰기 ②

전하고 싶은 마음이 있는데 말하기 쑥스럽다고요? 그럼 편지를 써 봐요.

판판
(기찬이의 간식을 몰래 먹었는데 미안한 마음을 편지로 전해 볼까?)

기찬
앗! 내 간식을 먹은 게 너였어?

달래
판판, 채팅 창에 네 마음을 쓰면 어떡해!

I ☺ 입력

어떤 마음을 전하고 싶은지 전하고 싶은 말을 써라!

상대에게 전하고 싶은 마음이 있을 때에는

어떤 일이 있었는지 일어난 일을 쓰고, 그 일에 대해 전하려는 마음을 써요.

마음을 잘 드러낼 수 있는 '고마워.', '미안해.', '사랑해요.' 등의 말을 사용해 표현하면 돼요.

● 편지를 쓸 때에 마음을 잘 드러낼 수 있는 알맞은 말을 빈칸에 각각 쓰고, 퍼즐판에서 찾아 ○표를 하세요.

1주

친구에게 고마운 마음을
전하는 표현은
"❶ 고 마 워 ."

친구에게 미안한 마음을
전하는 표현은
"❷ ☐ ☐ ☐ ."

고	마	워	사
집	청	소	랑
쟁	미	안	해
이	리	와	요

부모님께 사랑하는 마음을 전하는 표현은
"❸ ☐ ☐ ☐ ☐ ."

3_일 전하고 싶은 말 쓰기 ②

● 다음 재호의 일기를 읽고, 편지에 전하고 싶은 말을 쓰세요.

날짜: 20○○년 ○월 ○○일 일요일   날씨: 맑고 화창한 날

제목: 내 마음을 담은 편지

　　선생님께서 '친구에게 마음을 전하는 편지 쓰기'를 숙제로 내 주셨다. 그래서 책상에 앉아 친구들과 있었던 일을 떠올려 보았다. 교실에서 뛰다가 채영이의 발을 밟았던 일, 미술 시간에 지영이에게서 준비물을 빌렸던 일 등 미안했던 일과 고마웠던 일들이 잔뜩 떠올랐다. 누구에게 어떤 마음을 전할까 고민하고 있는데, 며칠 전에 석진이가 글쓰기 대회에서 상을 받았을 때 제대로 축하해 주지 못했던 일이 떠올라 석진이에게 편지를 쓰기로 결정했다.

　　편지를 다 쓰고 석진이에게 편지를 전해 줄 생각을 하니 가슴이 두근거렸다.

🐹 **어휘 풀이**

▼ **잔뜩**　한계에 이를 때까지 가득. **예** 가방에 책을 잔뜩 넣었다.

▼ **며칠**　몇 날. **예** 동생은 며칠 동안 그림만 그렸다.

낱말 쓰기

다음 그림을 보고, 재호에게 어떤 일이 있었는지 빈칸에 알맞은 말을 쓰세요.

• 석진이가 글쓰기 대회에서 상을 받았다.

• 재호는 ⟨ 大 ⟩⟨ ㅎ ⟩⟨ ㅎ ⟩ 주고 싶은 마음이 들었다.

문장 쓰기

1에서 답한 재호의 마음이 드러나도록 다음 보기 에서 알맞은 말을 골라 전하고 싶은
말을 두 문장으로 쓰세요.

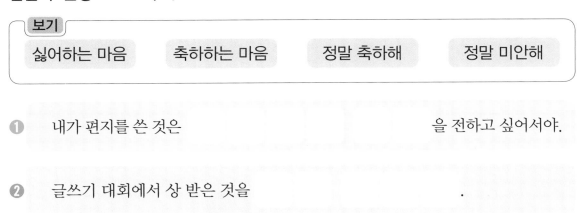

보기

싫어하는 마음   축하하는 마음   정말 축하해   정말 미안해

❶　　내가 편지를 쓴 것은 　　　　　　　　　　　　　　을 전하고 싶어서야.

❷　　글쓰기 대회에서 상 받은 것을 　　　　　　　　　　.

한 편 쓰기

2에서 완성한 문장을 넣어 재호의 마음이 전해지도록 전하고 싶은 말을 쓰세요.

3일 똑똑한 하루 글쓰기 받아쓰기

▶ 정답 및 해설 4쪽

1 잘 듣고, 따라 쓰세요.

따라 쓰기

❶ 발을 V 밟았던 V 일

❷ 며칠 V 전에

2 잘 듣고, 빈칸에 알맞은 낱말을 받아쓰세요.

낱말
받아쓰기

❶ 선생님께 [ ] 마음을 전하고 싶었어요.

❷ 네게 [ ] 부려서 정말 미안해.

3 잘 듣고, 그림에 알맞은 문장을 받아쓰세요.

문장
받아쓰기

엄마, 아빠, V

● 다음은 친구에게 고마운 마음을 전하기 위해 쓴 편지입니다. 보기 의 내용 중 고마운 마음이 잘 드러난 문장을 한 가지 골라 편지를 완성해 보세요.

보기

내 가장 친한 친구가 되어 줘서 고마워.

항상 내 질문에 웃으며 대답해 줘서 고마워.

미술 시간에 준비물을 빌려줘서 정말 고마웠어.

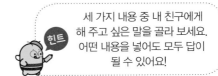

세 가지 내용 중 내 친구에게 해 주고 싶은 말을 골라 보세요. 어떤 내용을 넣어도 모두 답이 될 수 있어요!

○○에게

안녕? 날이 점점 더워지고 있는데, 건강하게 잘 지내고 있니? 날로 푸르러지는 나무를 보니 이제 정말 여름이 왔나 봐.

오	늘	은		고	마	운		마
음	을		전	하	려	고		편	지
를		썼	어	.				

앞으로 나도 너에게 도움을 줄 수 있는 친구가 될게.
그럼 안녕. 학교에서 보자.

20○○년 ○월 15일
너의 가장 친한 친구 ○○가

4일 끝인사 쓰기

밤톨 인사를 잘하면 자다가도 떡이 생긴다는 말이 있다며?

기찬 그만큼 인사가 중요하다는 거지.

달래 편지에 쓸 끝인사도 잘 생각해서 써야겠어.

헤어질 때 인사하듯이 편지를 끝마칠 때에도 끝인사를 써요.

편지를 마무리하며 끝인사를 써라!

편지를 끝마칠 때에는 끝인사를 써요.

끝인사에는 편지를 받을 사람이 잘 지내기를 바라는 말을 써야 해요.

간단한 인사만으로 끝맺기보다는 받을 사람의 건강이나 행복을 바라는 말 등을 써 봐요.

마지막으로 편지를 쓴 날짜와 쓴 사람을 쓰면 된답니다.

● 그림에 맞는 퍼즐 모양을 찾아 ◯표를 하고, 편지에 들어가는 내용 중 무엇에 해당하는지 알아보아요.

안녕, 다시 만날 날을 기다릴게.

 편지에 들어갈 끝인사를 생각하며 문장을 따라 쓰세요.

안	녕	,	다	시	V	만	날	V
날	을	V	기	다	릴	게	.	

4_일 끝인사 쓰기

● 다음 대화를 보고, 편지에 들어갈 끝인사를 쓰세요.

밤톨 님이 채팅 창을 나갔습니다.

달래 님이 밤톨 님을 초대하였습니다.

밤톨아, 나갈 때 인사는 하고 나가야지!

미안, 편지를 쓰려고 서두르다가…….

편지를 마무리할 때에도 끝인사가 들어가는 것은 알고 있지?

정말? 편지에도 끝인사가 필요한 줄은 몰랐어.

끝인사는 어떻게 쓰면 돼?

받을 사람의 건강이나 행복을 바라는 말을 써 봐.

끝인사를 쓴 다음에 편지를 쓴 날짜와 쓴 사람을 쓰는 것도 잊지 마!

 **어휘 풀이**

▼**서두르다가** 일을 빨리 해치우려고 급하게 바삐 움직이다가.

　예 서두르다가 교실에 우산을 두고 왔다.

▼**마무리** 일을 끝맺음. 예 미술 시간이 끝나기 전에 그림을 마무리할 수 있도록 하세요.

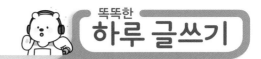

▶ 정답 및 해설 5쪽

낱말 쓰기

1 단계 밤톨이가 할아버지와 친구에게 보낼 편지의 끝인사를 생각하고 있어요. 빈칸에 알맞은 말을 **보기** 에서 골라 각각 쓰세요.

> **보기**
>
> 미안   건강   행복한   심심한

(1)

편지를 받으실 할아버지께서 아프지 않으셨으면 좋겠어!

할아버지, 아프지 말고 오래오래 ☐☐ 하시기를 바랄게요.

(2)

내 친구에게 좋은 일만 있었으면 좋겠어!

친구야, 너에게 항상 ☐☐☐ 일들만 가득하기를 바랄게.

문장 쓰기

2 단계 **1**에서 쓴 내용을 바탕으로 편지의 끝인사에 들어갈 문장을 각각 정리하여 쓰세요.

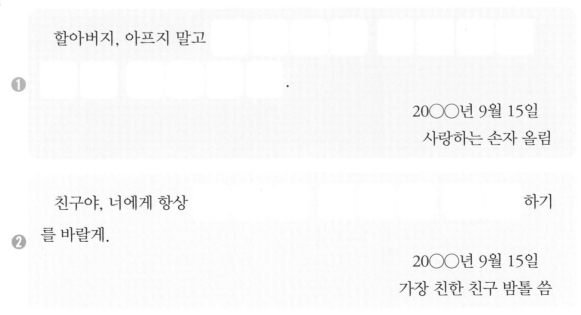

❶ 할아버지, 아프지 말고

20○○년 9월 15일
사랑하는 손자 올림

❷ 친구야, 너에게 항상   하기
를 바랄게.

20○○년 9월 15일
가장 친한 친구 밤톨 씀

1 잘 듣고, 따라 쓰세요.

따라 쓰기

❶ | 손 | 자 | V | 올 | 림 |

❷ | 친 | 구 | V | 밤 | 톨 | V | 씀 |

2 잘 듣고, 빈칸에 알맞은 낱말을 받아쓰세요.

낱말
받아쓰기

❶ 다음에 꼭 다시 [| |] .

❷ [| |] 일들만 가득하기를 빌게.

3 잘 듣고, 그림에 알맞은 문장을 받아쓰세요.

문장
받아쓰기

| 안 | 녕 | , | | V | | | V |

| | | | | | | |

1
주

● 친구가 쓴 글 처럼 편지를 받을 사람을 정하고, 보기 에서 끝인사를 쓰는 방법을 한 가지 골라 그 방법대로 끝인사를 쓰세요.

친구가 쓴 글

은	주	야	,		건	강	한		모
습	으	로		다	시		만	나	자 !

보기

받을 사람이 건강하기를 바라는 인사말을 쓴다.

받을 사람이 행복하기를 바라는 인사말을 쓴다.

받을 사람에게 다음 만남이나 편지를 약속하는 인사말을 쓴다.

받을 사람이 들으면 기분 좋을 인사말을 쓴다.

힌트 편지를 받을 사람을 떠올리며 그 사람에게 어떤 끝인사를 할지 생각해 봐요. 받을 사람이 웃어른이면 높임말로 쓰는 것을 잊지 마세요.

5일 편지 쓰기

밤톨
앗, 나도 쓴 사람을 빼먹고 안 쓴 것 같아!

달래
어쩌다 들어가야 할 내용을 빼먹고 보냈니?

기찬
빠진 내용이 없는지 잘 살펴봤어야지.

많은 친구들이 제게 편지를 보내 줬어요. 그런데 쓴 사람을 적지 않아서 누가 보냈는지 알 수 없는 편지가 많아요.

빠진 내용 없이 편지를 써라!

편지에 들어가야 하는 내용이 빠지지 않았는지 확인하며 편지를 써 봐요.

처음에는 받을 사람을 적고, 안부를 묻는 첫인사를 써요.

그리고 전하고 싶은 말을 쓰고, 상대가 잘 지내기를 바라며 끝인사를 써요.

언제 누가 편지를 썼는지 알 수 있도록 쓴 날짜와 쓴 사람도 적어 보내요.

◉ 편지를 쓰는 방법에 맞게 빈칸에 알맞은 말을 따라 써 보세요.

- 받을 사람 이 누구인지 씁니다.

- 받을 사람의 안부를 묻는 첫인사 를 씁니다.

- 편지를 쓴 까닭이나 전하고자 하는 마음이 잘 드러나도록 전하고 싶은 말 을 씁니다.

- 편지를 받을 사람이 잘 지내기를 바라는 마음이 드러나도록 끝인사 를 씁니다.

- 언제 누가 편지를 썼는지 알 수 있도록 쓴 날짜 와 쓴 사람 을 씁니다.

◉ 위에서 따라 쓴 말을 모두 찾아 색칠해 보고, 어떤 모양이 나오는지 알아보아요.

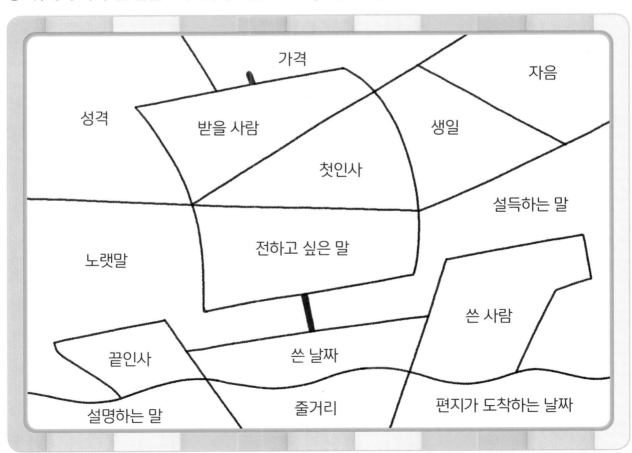

● 다음 기찬이가 쓴 편지를 읽고, 달래가 되어 할아버지께 보낼 편지를 써 보세요.

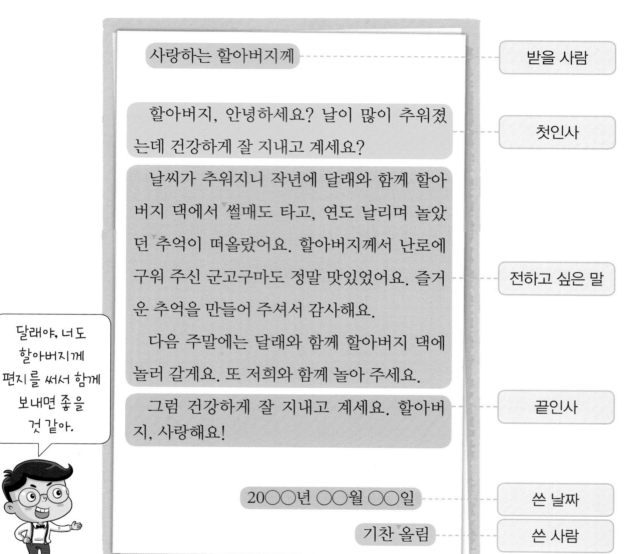

사랑하는 할아버지께 ………… **받을 사람**

할아버지, 안녕하세요? 날이 많이 추워졌는데 건강하게 잘 지내고 계세요? ………… **첫인사**

날씨가 추워지니 작년에 달래와 함께 할아버지 댁에서 썰매도 타고, 연도 날리며 놀았던 추억이 떠올랐어요. 할아버지께서 난로에 구워 주신 군고구마도 정말 맛있었어요. 즐거운 추억을 만들어 주셔서 감사해요.
다음 주말에는 달래와 함께 할아버지 댁에 놀러 갈게요. 또 저희와 함께 놀아 주세요. ………… **전하고 싶은 말**

그럼 건강하게 잘 지내고 계세요. 할아버지, 사랑해요! ………… **끝인사**

20○○년 ○○월 ○○일 ………… **쓴 날짜**

기찬 올림 ………… **쓴 사람**

> 달래야, 너도 할아버지께 편지를 써서 함께 보내면 좋을 것 같아.

🐭 **어휘 풀이**

▼ **썰매** 아이들이 얼음판이나 눈 위에서 미끄럼을 타고 노는 기구.

▼ **추억** |쫓을 추 追, 생각할 억 憶| 지나간 일을 돌이켜 생각함. 또는 그런 생각이나 일.
　　예 그동안 친구들과 함께한 <u>추억</u>이 떠올랐다.

▼ **올림** 아랫사람이 윗사람에게 편지나 선물을 보낼 때 보내는 사람의 이름 다음에 쓰는 말.
　　예 사랑스런 아들 지한 <u>올림</u>

▲ 썰매

낱말 쓰기

1 단계 다음 빈칸에 알맞은 말을 써넣어 달래가 할아버지께 쓰는 편지의 첫인사를 완성하세요.

눈이 많이 내렸는데
할아버지께서는 잘 지내고 계실까?

할아버지, 안녕하세요? 저 기찬이 친구 달래예요.

ㄴ 이 많이 내렸는데 잘 지내고 계세요?

문장 쓰기

2 단계 달래가 할아버지께 전하고 싶은 말은 무엇일지 보기 에서 알맞은 말을 골라 두 문장으로 쓰세요.

보기

너무 죄송해요   놀러 갈게요   정말 감사해요

❶ 썰매 타기랑 연날리기 같은 재미있는 놀이를 알려 주셔서

❷ 다음 주말에 기찬이랑 할아버지 댁에 또

한 편 쓰기

3 단계 달래가 어떤 끝인사를 쓰면 좋을지 보기 에서 한 가지 골라 쓰세요.

보기

항상 감기 조심하시고 안녕히 계세요.

할아버지, 무척 보고 싶어요. 안녕히 계세요.

받아쓰기 듣기

▶ 정답 및 해설 6쪽

1
따라 쓰기

잘 듣고, 따라 쓰세요.

❶ | 추 | 억 | 이 | V | 떠 | 올 | 랐 | 어 | 요 | .

❷ | 함 | 께 | V | 놀 | 아 | V | 주 | 세 | 요 | .

2
낱말
받아쓰기

잘 듣고, 빈칸에 알맞은 낱말을 받아쓰세요.

❶ 병원에 ☐☐ 했다고 들었는데 좀 괜찮아졌니?

❷ 사랑하는 아들 기찬 ☐☐

3
문장
받아쓰기

잘 듣고, 그림에 알맞은 문장을 받아쓰세요.

| 지 | 난 | 번 | 에 | V | | | | | V |
| | | V | | | | | | | |

● 편지에 들어가야 하는 내용 을 빠뜨리지 말고, 받을 사람을 정하여 편지를 쓰세요.

편지에 들어가야 하는 내용

받을 사람 → 첫인사 → 전하고 싶은 말 →

끝인사 → 쓴 날짜 → 쓴 사람

1
주

_____에게(께)

20___년 ___월 ___일

_____

힌트 먼저 누구에게 편지를 쓸 것인지 정하고, 어떤
말이나 마음을 전하고 싶은지 생각해 보세요.
그런 다음 빠진 내용 없이 편지를 써 보세요.

생활 어휘 다음 만화를 보며 '골탕을 먹다'라는 표현의 뜻을 알아보고, 상황에 맞게 써 보세요.

'골탕을 먹다'는 어디에서 온 말일까?

아, 지루하다.

재미있는 일이 없을까?

어, 사람이잖아? 도깨비의 숲에 들어오다니 겁이 없군.

저 사람에게 골탕을 먹이자.

그래, 좋아!

골탕은 원래 '소의 머릿골과 등골을 끓여 익힌 맛있는 국물.'을 가리키는 말이야.

그러던 것이 '곯다'라는 말이 '골탕'과 소리가 비슷하기 때문에 '골탕'이라는 말에 '곯다'의 뜻이 붙여졌고, 또 '먹다'라는 말에 '입다', '당하다'의 뜻이 덧붙여졌지.

그래서 지금은 '크게 곤란을 당하거나 손해를 입다.'라는 뜻으로 쓰이는구나.

그래.

저기 온다.

응, 깜짝 놀래 주자!

하나, 둘, 셋! 이얏!

표현의 뜻을 알아봐요!

골탕을 먹다

이 말은 "크게 곤란을 당하거나 손해를 입다." 라는 뜻으로 쓰이는 표현이랍니다.

이제 이 표현을 넣어 상황에 맞게 써 볼까요?

소문난 장난꾸러기인 오빠에게 나는 항상

골	탕	을	먹	는	다

.

◎ 어떤 낱말의 뜻인지 알맞은 답을 찾아 따라 쓰며, 편지를 기다리고 있는 친구의 집을 찾아가 세요.

창의　1주에 나왔던 **낱말과 그 뜻**을 익히며 편지를 기다리는 친구의 집을 찾아가 봅니다.

● 다음 만화를 보고, 우리가 흔히 쓰는 '안녕하세요'라는 인사말이 어떻게 생겨났는지 빈칸에 알맞은 말을 쓰세요.

 옛날에는 전쟁이나 질병, 굶주림 등으로 다치거나 죽는 사람이 많았기 때문에 밤새 아무 탈 없이 ㅍ ㅇ 했는지를 묻는 인사말을 쓰게 되었어요.

 융합
국어+사회   우리나라에서 널리 쓰이는 대표적인 인사말인 **'안녕하세요'가 어떻게 인사말로 굳어졌는지** 알아봅니다.

○ 인도의 첫 총리 네루가 딸에게 쓴 편지는 무척 유명해요. 다음 기호가 나타내는 글자가 무엇인지 알아보고, 네루가 딸에게 전하고 싶은 말이 무엇인지 완성하세요.

기호	♣	♥	◉	★	♠	◆	▲
나타내는 글자	달	총	해	금	님	소	청

 ☐☐ 과 친구가 되렴. 인도를 사랑하는 마음도, 세상을 살아가는 일도

☐☐ 처럼 밝고 떳떳해야 한단다.

창의 인도의 첫 총리였던 네루가 편지를 통해 **딸에게 전하고 싶었던 말**이 무엇이었는지 알아봅니다.

● 다음 코딩 명령을 따라가서 우체부 아저씨께서 누구에게 편지를 전달하셨을지 쓰세요.

코딩 명령

▶ 우체국에서 이동을 시작했을 때
⬇ 방향으로 2칸 이동하기
➡ 방향으로 3칸 이동하기

코딩 명령 풀이
우체국에서 ⬇ 방향으로 두 칸 이동하고, 다시 ➡ 방향으로 세 칸 이동해요.

우체부 아저씨께서는 [ ][ ][ ] 에게(께) 편지를 전달하셨어요.

코딩 코딩 명령에 따라 이동하여 우체부 아저씨께서 **누구에게 편지를 전달하셨을지** 알아봅니다.

1 다음 중 달래가 써야 하는 글이 무엇인지 골라 따라 쓰세요.

시골에 사시는 할머니께 소식도 전하고 안부도 여쭙고 싶어요.

| 편 | 지 |

| 안 | 내 | 문 |

2 다음 중 편지에 들어가야 하는 내용이 **아닌** 것은 무엇인가요? ( )

① 쓴 장소
② 첫인사
③ 전하고 싶은 말
④ 끝인사
⑤ 쓴 날짜

3 다음 중 친구에게 쓴 편지의 첫인사로 알맞은 것을 골라 ◯표를 하세요.

(1) 안녕, 그동안 잘 지냈니? ( )
(2) 정말 미안해. 내 사과를 받아 줘. ( )

[4~5] 다음 글을 읽고, 물음에 답하세요.

사실 아라는 호두를 먹으면 몸에 두드러기가 나는 알레르기 때문에 호두가 들어간 반찬을 남긴 것이었습니다. 하지만 아라는 괜히 부끄럽고 죄송해서 제대로 대답할 수가 없었습니다.

'영양사 선생님께서 내가 반찬을 남긴 일 때문에 실망하시면 어쩌지?'

집으로 돌아온 아라는 영양사 선생님께 편지를 쓰기로 했습니다.

4 아라가 쓴 편지를 받을 사람은 누구일지 이 글에서 찾아 빈칸에 쓰세요.

_____께

안녕하세요? 저는 2학년 2반 안아라예요. 항상 맛있는 점심을 만들어 주셔서 감사해요.

글쓰기

5 다음 빈칸에 알맞은 말을 넣어 편지에서 아라가 전하고 싶은 말을 완성해 보세요.

오늘 제가 반찬을 남긴 일 때문에 영양사 선생님께서 실망하실까 봐 편지를 쓰기로 했어요. 저는 □□를 먹으면 몸에 두드러기가 나요. 그래서 반찬을 남긴 거예요.

▶ 정답 및 해설 8쪽

6 다음 빈칸에 들어갈 말을 바르게 쓴 것에 ○ 표를 하세요.

┌─────────────────────────────┐
│ [   ] 전에 석진이가 글쓰기 │
│ 대회에서 상을 받았을 때 제대로 축하해 │
│ 주지 못했던 일이 떠올라 석진이에게 편 │
│ 지를 쓰기로 결정했다. │
└─────────────────────────────┘

(며칠 , 몇 일)

글쓰기

7 다음 문장에서 전하고 싶은 마음이 무엇일지 보기 에서 알맞은 말을 골라 빈칸에 쓰세요.

┌─── 보기 ───────────┐
│ 미안해   축하해   고마워 │
└────────────────────┘

글	쓰	기	V	대	회	에
서	V	상	V	받	은	V	것
을	V	정	말	V			!

8 다음 중 끝인사에 들어갈 내용을 알맞게 말한 사람의 이름을 쓰세요.

┌─────────────────────────────┐
│ 예지: 끝인사에는 전하고 싶은 말에서 미 │
│   처 다 쓰지 못한 말을 쓰면 돼. │
│ 준후: 끝인사에는 편지를 받을 사람이 잘 │
│   지내기를 바라는 말을 쓰면 돼. │
└─────────────────────────────┘

(   )

9 다음은 기찬이가 아빠께 쓴 편지의 일부분입니다. 밑줄 그은 말을 알맞게 고쳐 쓴 것에 ○ 표를 하세요.

┌─────────────────────────────┐
│ 아빠, 다음에 또 편지할게요. │
│ │
│   20○○년 ○월 ○○일 │
│   기찬 씀 │
└─────────────────────────────┘

(줌 , 올림)

10 다음 편지는 누가 누구에게 쓴 것인지 각각 쓰세요.

┌─────────────────────────────┐
│ 사랑하는 할아버지께 │
│ │
│ 할아버지, 안녕하세요? 날이 많이 추워 │
│ 졌는데 건강하게 잘 지내고 계세요? │
│ 날씨가 추워지니 작년에 달래와 함께 │
│ 할아버지 댁에서 썰매도 타고, 연도 날리 │
│ 며 놀았던 추억이 떠올랐어요. 할아버지 │
│ 께서 난로에 구워 주신 군고구마도 정말 │
│ 맛있었어요. 즐거운 추억을 만들어 주셔 │
│ 서 감사해요. │
│ 다음 주말에는 달래와 함께 할아버지 │
│ 댁에 놀러 갈게요. 또 저희와 함께 놀아 │
│ 주세요. │
│ 그럼 건강하게 잘 지내고 계세요. 할아 │
│ 버지, 사랑해요! │
│ │
│   20○○년 ○월 ○○일 │
│   기찬 올림 │
└─────────────────────────────┘

• [ ][ ]이/가 [ ][ ][ ]께
쓴 편지이다.

2주 이번 주에는 무엇을 공부할까? ❶

물건을 소개하는 글을 써 보자!

1일 물건의 모양, 색깔, 소리 설명하기

2일 물건의 냄새, 맛, 만진 느낌 설명하기

3일 물건의 쓰임 설명하기

4일 다섯 고개 놀이로 물건 소개하기

5일 물건을 소개하는 글 쓰기

1-1 물건을 소개하는 글을 쓰는 방법으로 알맞은 것을 골라 ○표를 하세요.

(1) 책에 대한 생각이나 느낌을 쓴다. ( )

(2) 하루 일 중 인상 깊었던 일을 쓴다. ( )

(3) 물건의 특징을 설명하는 내용을 쓴다. ( )

1-2 다음 물건을 소개하는 글에서 설명하지 <u>않은</u> 특징을 보기 에서 골라 쓰세요.

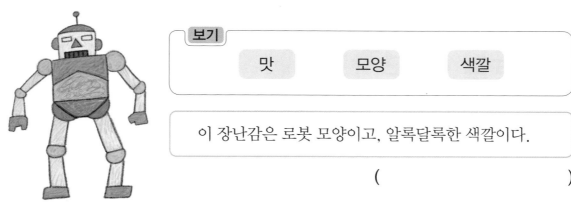

보기

| 맛 | 모양 | 색깔 |

이 장난감은 로봇 모양이고, 알록달록한 색깔이다.

( )

▶ 정답 및 해설 9쪽

2-1 다섯 고개 놀이로 물건을 소개하는 방법으로 알맞은 것을 골라 ○표를 하세요.

(1) 무조건 다섯 명이 한다. ( )

(2) 항상 다섯 글자로 말한다. ( )

(3) 다섯 번의 질문과 대답을 한다. ( )

2-2 다음 다섯 고개 놀이의 빈칸에 들어갈 내용으로 알맞은 것을 골라 따라 쓰세요.

고개		대답
☝	스스로 움직이지 못하나요?	예.
✌	네모 모양인가요?	예.
🖐	물에 쉽게 젖나요?	예.
🖖	종이로 만들어져 있나요?	예.
🖐	글씨를 적어 둘 수 있나요?	예.
😀	공책입니다.	예, 맞습니다.

질 문

낱 말

설 명

물건의 모양, 색깔, 소리 설명하기

물건의 모양, 색깔, 소리를 설명해라!

물건을 소개할 때에는 상대방이 이해하기 쉽게

그 물건의 모양, 색깔, 소리 등을 자세히 설명해야 해요.

눈으로 보고, 귀로 듣는 것처럼 물건의 특징을

생생하게 설명해 보아요.

◉ 사다리 타기를 하여 도착한 곳의 낱말을 따라 쓰며, 물건의 모양, 색깔, 소리를 설명하는 방법을 알아보아요.

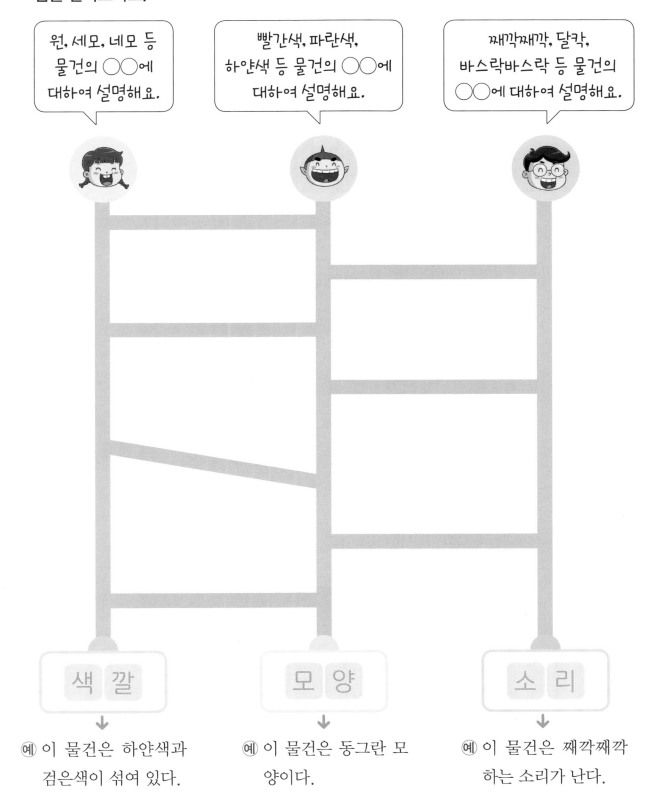

원, 세모, 네모 등 물건의 ○○에 대하여 설명해요.

빨간색, 파란색, 하얀색 등 물건의 ○○에 대하여 설명해요.

째깍째깍, 달칵, 바스락바스락 등 물건의 ○○에 대하여 설명해요.

색 깔

모 양

소 리

㉐ 이 물건은 하얀색과 검은색이 섞여 있다.

㉐ 이 물건은 동그란 모양이다.

㉐ 이 물건은 째깍째깍 하는 소리가 난다.

물건의 모양, 색깔, 소리 설명하기

● 다음 그림을 보고, 교실에 생긴 물건의 모양, 색깔, 소리는 어떠한지 쓰세요.

어제

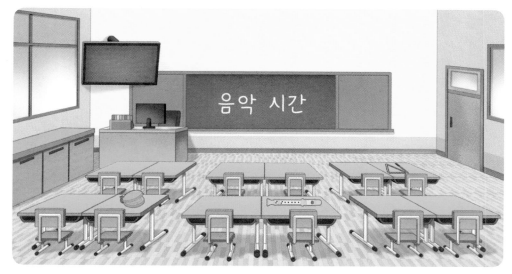

오늘

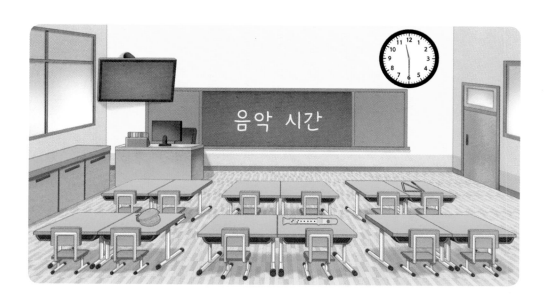

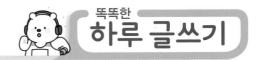
낱말 쓰기

교실에 생긴 시계의 모양, 색깔, 소리는 어떠한지 빈칸에 들어갈 낱말을 보기 에서 각각 골라 쓰세요.

보기

동그란   검은색   째깍째깍

(1) ☐☐☐ 모양이다.

(2) 테두리가 ☐☐☐ 이다.

(3) ☐☐☐☐ 하는 소리가 난다.

문장 쓰기

1에서 쓴 문장을 넣어 교실에 생긴 시계의 특징을 설명하는 문장을 쓰세요.

❶ 모양 설명하기

❷ 색깔 설명하기

❸ 소리 설명하기

▶ 정답 및 해설 9쪽

1 잘 듣고, 따라 쓰세요.

따라 쓰기

❶ 물 건 의 V 특 징

❷ 소 리 가 V 난 다 .

2 잘 듣고, 빈칸에 알맞은 낱말을 받아쓰세요.

낱말
받아쓰기

❶ 리코더는 [ ] [ ] [ ] 모양이다.

❷ 교실의 리코더는 [ ] [ ] [ ] 이다.

3 잘 듣고, 사진에 알맞은 문장을 받아쓰세요.

문장
받아쓰기

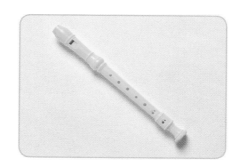

리 코 더 는 V [ ] [ ] V

[ ] V [ ] [ ] V [ ] [ ]

● 친구가 쓴 글 처럼 교실에서 볼 수 있는 또 다른 물건의 모양, 색깔, 소리를 설명하는 말을 보기 에서 각각 골라 문장을 쓰세요.

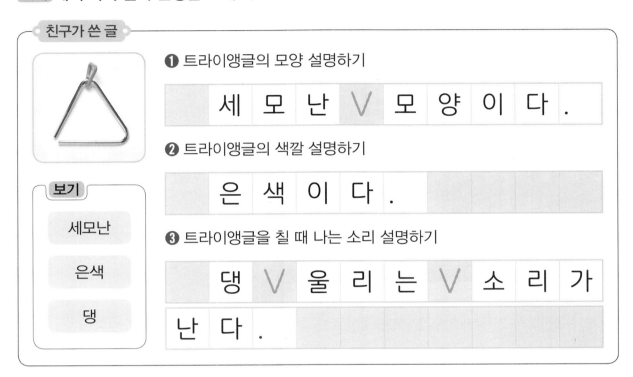

친구가 쓴 글

❶ 트라이앵글의 모양 설명하기

| | 세 | 모 | 난 | ∨ | 모 | 양 | 이 | 다 | . |

❷ 트라이앵글의 색깔 설명하기

| 은 | 색 | 이 | 다 | . | | | | | |

보기

세모난

은색

댕

❸ 트라이앵글을 칠 때 나는 소리 설명하기

| | 댕 | ∨ | 울 | 리 | 는 | ∨ | 소 | 리 | 가 |
| 난 | 다 | . | | | | | | | |

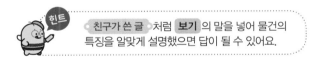

힌트　친구가 쓴 글 처럼 보기 의 말을 넣어 물건의
특징을 알맞게 설명했으면 답이 될 수 있어요.

❶ 캐스터네츠의 모양 설명하기

| | | | | | | | | | |

❷ 캐스터네츠의 색깔 설명하기

| | | | | | | | | | |

보기

조개

옅은 갈색

딱딱

❸ 캐스터네츠를 칠 때 나는 소리 설명하기

| | | | | | | | | | |
| | | | | | | | | | |

물건의 냄새, 맛, 만진 느낌 설명하기

밤톨
내가 좋아하는 홍시는 달콤한 냄새가 나.

달래
내가 좋아하는 귤은 새콤달콤해.

기찬
잠깐! 내 홍시랑 귤 누가 먹으래?

친구들, 물건을 코로 냄새 맡고, 입으로 맛보고, 손으로 만지는 것처럼 설명할 수 있나요?

물건의 냄새, 맛, 만진 느낌을 설명해라!

물건을 소개할 때에는 상대방이 이해하기 쉽게

그 물건의 냄새, 맛, 만진 느낌 등을 자세히 설명해야 해요.

코로 냄새 맡고, 입으로 맛보고, 손으로 만지는 것처럼

물건의 특징을 생생하게 설명해 보아요.

◉ 물건의 냄새, 맛, 만진 느낌을 설명하는 방법에 맞게 빈칸에 알맞은 말을 쓰고, 퍼즐판에서 찾아 ◯표를 하세요.

코로 맡을 수 있는
❶ ☐ ☐ 를 써요.

입으로 맛본
❷ ☐ 을 써요.

촉	듣	을	각
보	냄	새	겪
맛	귀	먹	느
생	미	후	낌

손으로 만진
❸ ☐ ☐ 을 써요.

물건의 냄새, 맛, 만진 느낌 설명하기

● 다음 대화를 읽고, 기찬이가 처음 먹어 본 과일의 냄새, 맛, 만진 느낌은 어떠한지 쓰세요.

> 어제 할머니 댁에 가서 처음으로 '홍시'를 먹었어.
>
> 홍시라고? 그게 뭐야?
>
> 잘 익은 감이야.
>
> 윽, 난 감은 별로 안 좋아해. 너무 딱딱하더라고.
>
> 그 감이랑은 달라. 홍시는 만져 보니 물렁물렁했어.
>
> 맛있었니?
>
> 당연하지. 달콤한 냄새가 나서 얼른 한 입 먹었는데, 단맛이 났어. 너도 꼭 먹어 봐.

어휘 풀이

▼ 댁|집 댁 宅| 남의 집이나 가정을 높여 이르는 말. 예 선생님 댁은 어디신가요?

▼ 물렁물렁했어 매우 보들보들하여 연하고 부드러웠어. 예 찰흙은 물렁물렁했어.

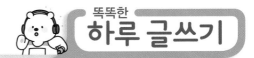
낱말 쓰기

1 단계 홍시의 냄새, 맛, 만진 느낌은 어떠한지 빈칸에 알맞은 낱말을 보기 에서 각각 골라 쓰세요.

보기

달콤한   단맛   물렁물렁

(1) ☐☐☐ 냄새가 난다.

(2) ☐☐ 이 난다.

(3) 만지면 ☐☐☐☐ 하다.

문장 쓰기

2 단계 1에서 쓴 홍시의 특징에 대한 설명을 두 문장으로 정리하여 쓰세요.

❶ 홍시는 ☐☐☐☐☐ 와 ☐☐ 이 난다.

❷ 만지면 ☐☐☐☐☐☐☐ .

한 편 쓰기

3 단계 2에서 쓴 문장을 넣어 홍시의 특징에 대해 설명하는 글을 쓰세요.

❶홍	시	는	∨			∨	
	∨				∨		
❷		∨					

1

따라 쓰기

잘 듣고, 따라 쓰세요.

❶
| 홍 | 시 | 를 | V | 먹 | 었 | 다 | . | | |

❷
| 잘 | V | 익 | 은 | V | 감 | | | |

2

낱말
받아쓰기

잘 듣고, 빈칸에 알맞은 낱말을 받아쓰세요.

❶ 양파는 [　][　][　] 냄새가 난다.

❷ 양파는 [　][　] 맛이다.

3

문장
받아쓰기

잘 듣고, 사진에 알맞은 문장을 받아쓰세요.

| 양 | 파 | 를 | V | | | V | |
| | | | | | | | |

● 친구가 쓴 글 처럼 다음 물건의 냄새와 맛, 만진 느낌을 설명하는 말을 보기 에서 각각 골라 문장을 쓰세요.

친구가 쓴 글

보기

고소한   담백한   물컹물컹

❶ 두부의 냄새와 맛은 어떠한가요?

→ 고소한 냄새와 담백한 맛이 난다.

❷ 두부를 만진 느낌은 어떠한가요?

→ 부드럽고 물컹물컹하다.

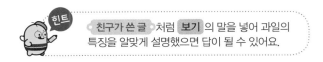

힌트 친구가 쓴 글 처럼 보기 의 말을 넣어 과일의 특징을 알맞게 설명했으면 답이 될 수 있어요.

보기

상큼한   새콤달콤한   말랑말랑

❶ 귤의 냄새와 맛은 어떠한가요?

→

❷ 귤을 만진 느낌은 어떠한가요?

→

물건의 쓰임 설명하기

물건의 쓰임을 설명해라!

물건을 소개할 때에는 상대방이 이해하기 쉽게

그 물건을 무엇을 할 때 쓰는지 설명해야 해요.

설명하려는 물건이 어떤 일에 필요한지,

어떤 쓸모가 있는지를 자세히 설명해 보아요.

◉ 그림에 맞는 퍼즐 모양을 찾아 선으로 잇고, 물건의 쓰임에 대해 설명하는 방법을 알아보아요.

 물건의 쓰임을 생각하며 문장을 따라 쓰세요.

곤	충	망	으	로	V	나	비	와	V
잠	자	리	를	V	잡	았	다	.	

3일 물건의 쓰임 설명하기

● 다음 그림을 보고, 아이들이 쓰기로 한 물건의 쓰임에 대해 설명하는 글을 쓰세요.

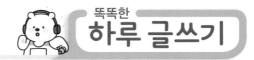
낱말 쓰기

1단계 다음 사진을 보고, 곤충망은 무엇을 할 때 쓰는 물건인지 빈칸에 들어갈 알맞은 낱말을 보기 에서 각각 골라 쓰세요.

보기

나비   가재   잠자리   올챙이

(1) ☐☐ 를 잡을 때 쓴다.

(2) ☐☐☐ 를 잡을 때 쓴다.

문장 쓰기

2단계 **1**에서 쓴 곤충망의 쓰임에 대한 설명을 한 문장으로 정리하여 쓰세요.

곤충망은 ☐☐ 와 ☐☐☐ 를 ☐☐☐☐☐ .

한 편 쓰기

3단계 **2**에서 쓴 문장을 넣어 곤충망의 쓰임을 설명하는 글을 쓰세요.

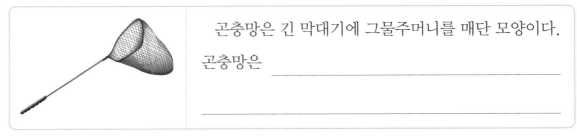

곤충망은 긴 막대기에 그물주머니를 매단 모양이다.

곤충망은 _____

_____

1
따라 쓰기

잘 듣고, 따라 쓰세요.

❶

| | 잠 | 자 | 리 | 를 | V | 잡 | 다 | . | |

❷

| | 개 | 미 | 가 | V | 너 | 무 | V | 작 | 아 | . |

2
낱말
받아쓰기

잘 듣고, 빈칸에 알맞은 낱말을 받아쓰세요.

❶ 어두워서 | | | | 보고 싶다.

❷ | | | | 으로 어둠을 밝힐 수 있다.

3
문장
받아쓰기

잘 듣고, 사진에 알맞은 문장을 받아쓰세요.

| | 망 | 원 | 경 | 은 | V | | V | | | V |
| | | V | | V | | | | | | |

● 보기 에서 알맞은 말을 골라 다음 사진 속 대상의 쓰임을 설명하는 문장을 각각 쓰세요.

보기

사진을 찍을 때	그림을 그릴 때
물건을 작게 볼 때	물건을 크게 볼 때

2
주

❶ 돋보기

돋	보	기	는					

❷ 카메라

카	메	라	는					

힌트 보기 의 말 중 그림 속 물건의 쓰임에 알맞은
것을 골라 썼으면 답이 될 수 있어요.

다섯 고개 놀이로 물건 소개하기

다섯 고개 놀이로 물건을 소개해라!

다섯 고개 놀이는 다섯 번의 질문과 대답을 하며 답을 알아맞히는 놀이예요.

다섯 고개 놀이를 할 때에는 물건의 특징에 관련된 것을 질문해야 해요.

질문의 내용이 맞을 경우에는 확인하는 대답을 해 주고,

질문의 내용이 틀린 경우에는 보충 설명으로 대답해 주어야 해요.

● 사다리 타기를 하여 도착한 곳의 낱말을 따라 쓰며, 다섯 고개 놀이로 물건을 소개하는 방법을 알아보아요.

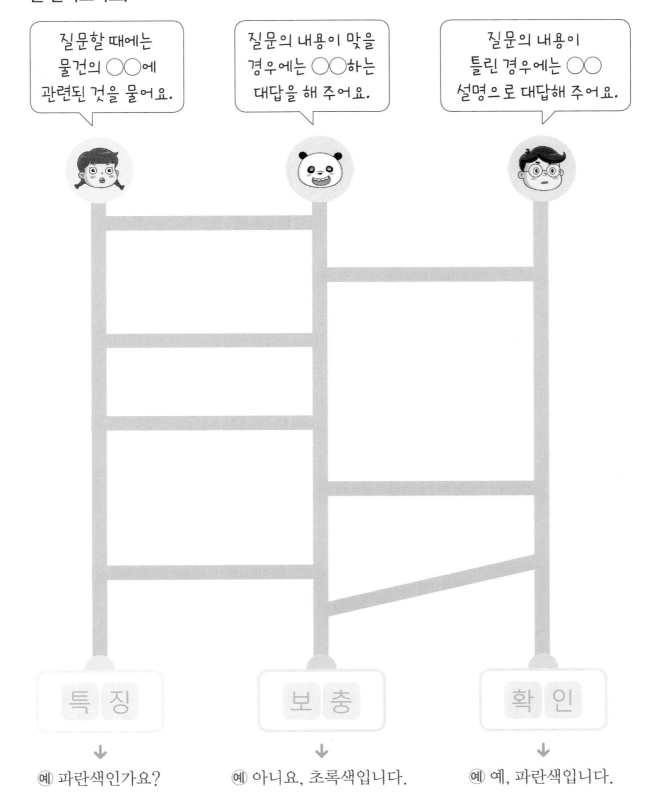

질문할 때에는 물건의 ○○에 관련된 것을 물어요.

질문의 내용이 맞을 경우에는 ○○하는 대답을 해 주어요.

질문의 내용이 틀린 경우에는 ○○ 설명으로 대답해 주어요.

특 징

보 충

확 인

↓

↓

↓

㉠ 파란색인가요?

㉠ 아니요, 초록색입니다.

㉠ 예, 파란색입니다.

4일 다섯 고개 놀이로 물건 소개하기

○ 다음 내용을 보고, 다섯 고개 놀이의 대답을 쓰세요.

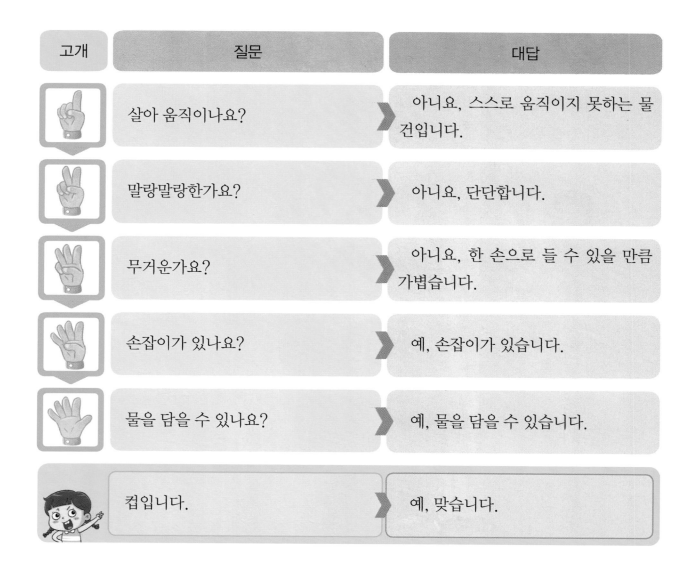

고개	질문	대답
	살아 움직이나요?	아니요, 스스로 움직이지 못하는 물건입니다.
	말랑말랑한가요?	아니요, 단단합니다.
	무거운가요?	아니요, 한 손으로 들 수 있을 만큼 가볍습니다.
	손잡이가 있나요?	예, 손잡이가 있습니다.
	물을 담을 수 있나요?	예, 물을 담을 수 있습니다.
	컵입니다.	예, 맞습니다.

▶ 정답 및 해설 12쪽

낱말 쓰기

 1
단계

칫솔의 특징은 무엇인지 빈칸에 들어갈 낱말을 보기 에서 각각 골라 쓰세요.

보기

이   닦을   길쭉한

(1) ☐☐☐ 모양이다.   (2) ☐ 를 ☐☐ 때 쓴다.

문장 쓰기

 2
단계

1에서 쓴 문장을 넣어 다섯 고개 놀이의 대답을 쓰세요.

고개	질문	대답
	살아 움직이나요?	아니요, 스스로 움직이지 못하는 물건입니다.
	말랑말랑한가요?	아니요, 단단합니다.
	무거운가요?	아니요, 한 손으로 들 수 있을 만큼 가볍습니다.
	길쭉한 모양인가요?	❶
	손을 닦을 때 쓰나요?	❷
정답	칫솔입니다.	예, 맞습니다.

1 잘 듣고, 따라 쓰세요.

따라 쓰기

❶ 단 단 합 니 다 .

❷ 가 볍 습 니 다 .

2 잘 듣고, 빈칸에 알맞은 낱말을 받아쓰세요.

낱말
받아쓰기

❶ ☐☐ 수 없는 물건이다.

❷ ☐☐☐ 모양이다.

3 잘 듣고, 사진에 알맞은 문장을 받아쓰세요.

문장
받아쓰기

옷 걸 이 는 ∨ ∨

∨ ∨ ∨

◎ 다음 다섯 고개 놀이의 질문에 알맞은 대답을 보기 에서 골라 쓰세요.

보기

머리에 씁니다.

소리가 나지 않습니다.

위가 뾰족한 고깔 모양입니다.

힌트 질문에 알맞은 대답이 되는 말을 보기 에서 골라 고깔모자의 특징을 설명하는 문장을 써 봐요.

2주

고개	질문	대답
	먹을 수 있나요?	아니요, 먹지 못합니다.
	하늘로 날려 보낼 수 있나요?	아니요, 하늘로 날려 보낼 수 없습니다.
	소리가 나나요?	아니요, ❶ _____
	상자 모양인가요?	아니요, ❷ _____
	눈에 쓰나요?	아니요, ❸ _____
	고깔모자입니다.	예, 맞습니다.

물건을 소개하는 글 쓰기

밤톨

난 어제 처음 맛본 과자를 소개하는 글을 쓰고 싶어.

달래

난 도깨비 인형을 소개하는 글을 쓸래!

판판

그렇다면 난 대나무를 소개하는 글을 써 볼까?

오늘은 허수아비를 소개하는 글을 써 볼까요?

물건을 소개하는 글을 써라!

물건을 소개하는 글을 쓸 때에는 먼저 물건의 특징을 살펴보아야 해요.

물건의 모양, 색깔, 소리, 냄새, 맛, 만진 느낌, 쓰임과 같은 특징 중

물건을 설명하기에 적절한 내용을 골라요.

그리고 물건에 대해 설명하는 내용을 자세히 써야 해요.

◉ 물건을 소개하는 글을 쓰는 방법에 맞게 빈칸에 알맞은 말을 쓰고, 퍼즐판에서 찾아 ○표를 하세요.

물건의 ❶ □□ 을 살펴보고 써요.

물건의 모양, 색깔, 소리, 냄새, 맛, 만진 느낌, ❷ □□ 중 설명할 내용을 골라요.

특	징	가	격
간	자	겪	저
단	세	쓰	임
감	히	개	자

물건에 대해 설명하는 내용을 ❸ □□□ 써요.

5일 물건을 소개하는 글 쓰기

● 다음 글을 읽고, 허수아비를 소개하는 글을 쓰세요.

지난 주말에 주은이네 가족은 여행을 다녀왔다. 여행이 끝나고 집으로 돌아오는 길에 주은이는 논에 사람처럼 생긴 물건이 서 있는 것을 보았다.

"아빠, 저기 서 있는 물건은 뭐예요? 꼭 사람처럼 생겼어요."

"저건 허수아비라고 한단다."

"허수아비요? 저는 처음 보는 물건이에요."

"허수아비는 막대기와 짚 등을 사용하여 사람 모양으로 만든단다. 곡식을 해치는 새나 짐승 등을 막기 위하여 논밭에 세워 놓는 물건을 말하지."

아빠의 설명을 들은 주은이는 허수아비가 신기했다. 그리고 오늘 알게 된 허수아비에 대해 친구들에게 소개해 주기 위해서 허수아비를 소개하는 글을 쓰기로 결심했다.

어휘 풀이

▼ **짚** 벼의 낟알을 떨어낸 줄기.

▼ **해**|해로울 해 害|**치는** 어떤 상태에 손상을 입혀 망가지게 하는.
예 밭을 해치는 짐승을 막기 위해 울타리를 세웠다.

▼ **결심**|결정할 결 決, 마음 심 心| 할 일에 대하여 어떻게 하기로 마음을 굳게 정함. 또는 그런 마음. 예 내일부터 일찍 일어나기로 결심했다.

▲ 짚

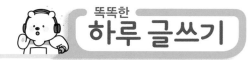
▶ 정답 및 해설 13쪽

낱말 쓰기

1 단계

허수아비의 모양은 어떠한지 빈칸에 들어갈 낱말을 보기 에서 각각 골라 쓰세요.

보기

짚   사람   막대기

☐☐☐ 와 ☐ 등을 사용하여 ☐☐ 모양으로 만든다.

2 주

문장 쓰기

2 단계

허수아비의 쓰임은 무엇인지 빈칸에 들어갈 알맞은 말을 쓰세요.

사람들은 나를 곡식을 해치는 새나 짐승 등을 막기 위하여 논밭에 세우지.

허수아비는 곡식을 해치는 ☐☐☐ 등을 ☐☐☐

☐☐☐ 논밭에 세운다.

한 편 쓰기

3 단계

2에서 쓴 문장을 넣어 허수아비의 쓰임을 설명하는 글을 쓰세요.

허	수	아	비	는			
논	밭	에		세	운	다	.

2단계 • **81**

1 잘 듣고, 따라 쓰세요.

따라 쓰기

❶ | 여 | 행 | 을 | V | 다 | 녀 | 왔 | 다 | . |

❷ | 신 | 기 | 한 | V | 허 | 수 | 아 | 비 | |

2 잘 듣고, 빈칸에 알맞은 낱말을 받아쓰세요.

낱말
받아쓰기

❶ 저기 서 있는 물건은 | | | | ?

❷ 꼭 사람처럼 | | | | .

3 잘 듣고, 사진에 알맞은 문장을 받아쓰세요.

문장
받아쓰기

| | | | | | V | | V | | V |

| | | | V | | | | | |

● 엄마의 말씀을 읽고, 밑줄 그은 부분에서 빈칸에 들어갈 말을 골라 항아리를 소개하는 글을 완성하세요.

이렇게 항아리는 <u>위와 아래는 좁고</u> 가운데가 <u>넓은 그릇</u>이란다. <u>진흙으로 만들어서 갈색</u>이지. 이 항아리는 된장뿐만 아니라 간장이나 김치 등을 <u>담가 두는 데에</u> <u>쓴</u>단다.

힌트
엄마의 말씀에서 밑줄 그은 말을 잘 살펴보면 항아리를 소개하는 글에 들어갈 내용을 알 수 있답니다.

2주

항아리를 소개합니다

	항	아	리	는	V			V	
			V			V	가	운	데	가
넓	은	V	그	릇	이	다	.	진	흙
으	로	V					V		
이	다	.	된	장	,	간	장	,	김
치	V	등	을	V		V			
		V	쓴	다	.				

생활 어휘   다음 만화를 보며 속담의 뜻을 알아보고, 상황에 맞게 속담을 써 보세요.

배보다 배꼽이 더 크다

똑똑한
하루 창의·융합·코딩

▶정답 및 해설 14쪽

2
주

속담의 뜻을 알아봐요!

배보다 배꼽이 더 크다

이 속담은 "기본이 되는 것보다 덧붙이는 것이 더
많거나 크다."는 뜻으로 쓰이는 표현이랍니다.

이제 이 속담을 넣어 상황에 맞게 써 볼까요?

장난감 가격보다
고치는 가격이 더
비싸잖아……

장난감 가격보다 고치는 가격이 더 비싸다

니. " | 배 | 보 | 다 | 배 | 꼽 | 이

| 더 | 크 | 다 "라는 말이 생각났어.

● 다음 그림의 사람들은 어떤 물건의 어떤 맛을 설명하였는지 찾아 그림의 번호를 쓰세요.

(1)	(2)	(3)	(4)
짠맛	새콤달콤한 맛	달콤한 맛	매운맛
( )	( )	( )	( )

창의   맛이 **어떤지** 설명하는 **말**의 **뜻**을 익히며 그러한 맛이 나는 물건을 찾아봅니다.

● 다음 그림이나 사진을 잘 보고, 그림이나 사진 속 물건이 어떤 도형을 닮았는지 보기 에서 각각 골라 쓰세요.

보기

원   사각형   삼각형

(1)

자전거 바퀴는
모양이다.

(2)

요트의 돛은
모양이다.

(3)

칠판은
모양이다.

(4)

이 과자는
모양이다.

 용합
국어+수학   물건의 모양을 설명하는 말을 생각하며 **도형**을 구분해 봅니다.

● 기찬이가 곤충망으로 잡은 잠자리를 관찰했어요. 잠자리를 관찰한 내용을 잘 보고, 잠자리를 소개하는 글을 완성하세요.

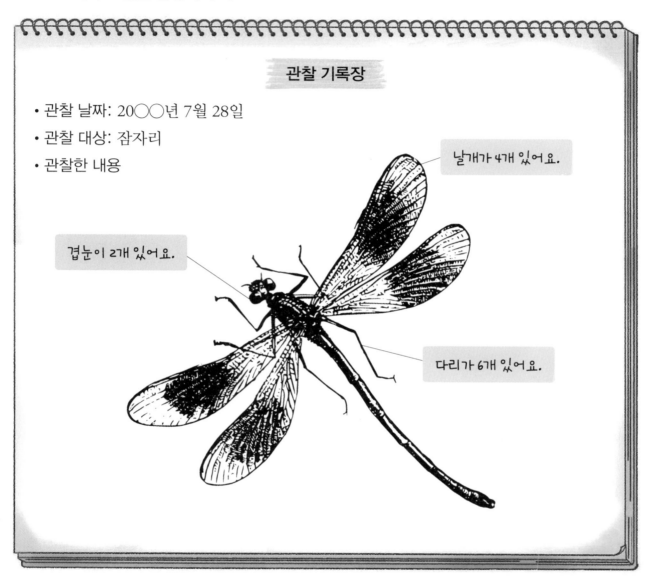

관찰 기록장

• 관찰 날짜: 20○○년 7월 28일
• 관찰 대상: 잠자리
• 관찰한 내용

날개가 4개 있어요.

겹눈이 2개 있어요.

다리가 6개 있어요.

잠자리는 날아다니는 곤충이다. 두 개의 ☐☐ 으로 여러 방향을 볼 수 있다.

네 개의 ☐☐ 와 여섯 개의 ☐☐ 가 있다.

융합
국어+과학 곤충망의 쓰임을 생각하며 **잠자리**에 대해 알아봅니다.

● 딸기를 소개하는 글을 읽고, 딸기의 특징이 나타난 칸을 모두 지나 도착까지 갈 수 있도록 카드의 빈칸에 알맞은 숫자를 쓰세요.

딸기는 달걀 모양이고, 빨간색이다. 초록색 꼭지가 달려 있고, 만지면 오돌토돌하다. 달콤한 냄새가 나고, 단맛이 난다.

출발	달걀 모양	별 모양	막대 모양
고소한 냄새	빨간색	파란색	신맛
검은색	초록색 꼭지	오돌토돌	달콤한 냄새
노란색 꼭지	보라색	주황색	단맛
하얀색	매운맛	쓴맛	도착

❶ 오른쪽으로 간다.

→

1 칸

❷ 아래쪽으로 간다.

↓

2 칸

❸ 오른쪽으로 간다.

→

☐ 칸

❹ 아래쪽으로 간다.

↓

2 칸

 코딩   **물건을 소개하는 방법**을 떠올리며 소개하는 물건의 특징이 적힌 곳을 지나 도착까지 가려면 어떻게 해야 할지 카드를 완성해 봅니다.

1 다음은 물건을 소개하는 글을 쓰는 방법에 대한 내용입니다. 알맞은 말에 ◯표를 하세요.

> 물건을 소개하는 글을 쓸 때에는 물건의 모양, 색깔, 소리, 냄새, 맛, 만진 느낌, 쓰임과 같은 물건의 (특징 , 가격)을 설명해야 해요.

글쓰기

2 다음 그림을 보고, 시계의 모양을 보기 에서 골라 문장을 완성하고 따라 쓰세요.

보기

동그란

세모난

네모난

				V	모

양	이	다	.		

3 다음은 시계의 어떤 특징을 설명하는 것인지 골라 ◯표를 하세요.

> 시계는 테두리가 검은색이다.

색깔   모양   소리   냄새

4 트라이앵글의 특징 중 소리를 알맞게 설명한 친구는 누구인지 쓰세요.

> 영우: 트라이앵글은 세모난 모양이야.
> 수진: 트라이앵글은 댕 울리는 소리가 나.

(   )

글쓰기

5 다음 홍시를 소개하는 글을 읽고, 홍시는 어떤 냄새가 나는지 찾아 빈칸에 알맞게 쓰세요.

> 홍시는 달콤한 냄새와 단맛이 난다. 만지면 물렁물렁하다.

홍시는 [ ][ ][ ] 냄새가 난다.

▶ 정답 및 해설 15쪽

6 다음은 두부의 특징입니다. 어떤 특징인지 알맞은 것끼리 선으로 이으세요.

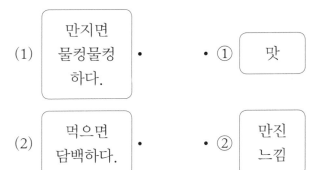

(1) 만지면 물컹물컹 하다. •

(2) 먹으면 담백하다. •

• ① 맛

• ② 만진 느낌

7 기찬이의 말을 읽고, 각 물건의 쓰임을 떠올리며 기찬이에게 필요한 물건을 보기 에서 골라 쓰세요.

개미가 너무 작아. 더 자세히 보고 싶어.

보기

돋보기   곤충망   카메라

□□□ 로 개미를 크게 볼 수 있다.

8 다음은 받아쓰기를 한 문장입니다. 알맞게 쓴 낱말에 ○표를 하세요.

손전등으로 (환하게 , 화나게) 어둠을 밝힐 수 있다.

9 다음 다섯 고개 놀이를 보고, 답으로 알맞은 물건에 ○표를 하세요.

고개	질문	대답
	스스로 움직이지 못하나요?	예.
	네모 모양인가요?	예.
	물에 쉽게 젖나요?	예.
	종이로 만들어져 있나요?	예.
	글씨를 적어 둘 수 있나요?	예.
	□입니다.	예, 맞습니다.

(1) 공책 (   )   (2) 자 (   )

10 다음 글을 읽고, 빈칸에 알맞은 낱말을 넣어 허수아비를 소개하는 글을 완성해 보세요.

"아빠, 저기 서 있는 물건은 뭐예요? 꼭 사람처럼 생겼어요."
"저건 허수아비라고 한단다."
"허수아비요? 저는 처음 보는 물건이에요."
"허수아비는 막대기와 짚 등을 사용하여 사람 모양으로 만든다. 곡식을 해치는 새나 짐승 등을 막기 위하여 논밭에 세워 놓는 물건을 말하지."

허수아비는 막대기와 짚 등을 사용하여 ㅅ ㄹ 모양으로 만든다. 허수아비는 곡식을 해치는 새나 짐승 등을 ㅁ ㄱ 위하여 논밭에 세운다.

3주 이번 주에는 무엇을 공부할까? ❶

독서록을 써 보자!

1-1 독서록에 대한 설명으로 알맞은 것을 골라 ○표를 하세요.

(1) 책을 읽기 전에 읽고 싶은 책을 기록하는 글 　　　　　(　　　)

(2) 책을 읽고 나서 줄거리, 생각, 느낌 따위를 기록한 글 　　(　　　)

1-2 다음은 무엇에 대한 설명인지 보기 에서 골라 쓰세요.

책을 읽고 나서 줄거리, 생각, 느낌 따위를 기록한 글을 말해요.

> **보기**
>
> 편지　　　　독서록　　　　이야기

▶ 정답 및 해설 16쪽

2-1

다음을 보고, 독서록에 대한 설명으로 알맞은 것을 골라 ○표를 하세요.

  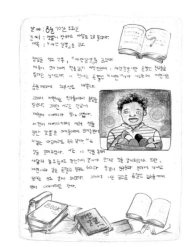

(1) 독서록은 다양한 형식으로 쓸 수 있다.　　　(　　　)

(2) 독서록은 한 가지 형식으로만 써야 한다.　　　(　　　)

2-2

독서록에 대한 설명으로 알맞은 말을 보기 에서 골라 쓰세요.

> 보기
>
> 　　　다양한 형식으로　　　　　한 가지 형식으로만

독서록은 [　　　　　　　　　　] 쓸 수 있다.

인물 카드를 만들어서 독서록을 써라!

독서록은 책을 읽고 나서 줄거리, 생각, 느낌 따위를 기록한 글이에요.

독서록은 다양한 형식으로 쓸 수 있어요.

인물 카드를 만들어서 독서록을 쓰려면 먼저 등장인물의 모습을 상상하여 그린 다음, 그 인물을 소개하는 말이나 인물의 성격을 쓰면 된답니다.

● 인물 카드를 만들어서 독서록을 쓰는 방법에 맞게 빈칸에 알맞은 말을 쓰고, 퍼즐판에서 찾아 ○표를 하세요.

❶ ☐ ☐ ☐ 은 책을 읽고 나서 줄거리, 생각, 느낌 따위를 기록한 글이에요.

인물 카드를 만들어서 독서록을 쓰려면 먼저 등장인물의 ❷ ☐ ☐ 을 상상하여 그려요.

성	부	모	두
격	자	습	더
퇴	원	수	지
독	서	록	구

등장인물을 소개하는 말이나 인물의 ❸ ☐ ☐ 을 써요.

인물 카드 만들기

● 다음 이야기를 읽고, 인물 카드를 만들어 보세요.

흥부 놀부

　어느 날, 제비 한 마리가 커다란 구렁이를 피하려다 다리가 부러졌어요. 그 모습을 본 흥부는 구렁이를 쫓아내고, 제비의 다리를 정성껏 치료해 주었지요.

　이듬해 봄이 되자 다리를 다쳤던 제비가 박씨를 물고 돌아왔어요. 흥부는 마당에 제비가 물어다 준 박씨를 심었어요.

　가을이 되자 흥부네 집 지붕 위에는 탐스러운 박이 주렁주렁 열렸어요. 흥부네 가족들은 톱질을 했지요. 박이 '쩍' 하고 벌어지자, 그 안에서 수많은 금은보화가 우르르 쏟아져 나왔어요.

　"우리는 이제 부자로구나!"

🐭 어휘 풀이

▼ **탐**|탐할 탐 貪|**스러운**　가지거나 차지하고 싶은 마음이 들 정도로 보기가 좋고 끌리는 데가 있는.
　예 가장 탐스러운 사과 한 알을 따서 먹었다.
▼ **금은보화**|쇠 금 金, 은 은 銀, 보배 보 寶, 재화 화 貨|　금, 은, 옥, 진주 따위의 매우 귀중한 물건.
　예 부자의 금고 안에는 금은보화가 가득했다.

▶정답 및 해설 16쪽

낱말 쓰기

1 다음 사진을 보고, 흥부를 소개하는 말에 맞게 빈칸에 알맞은 낱말을 각각 쓰세요.

내가 **다리**를
치료해 줄게.

→

우리는 이제
부자로구나!

(1) 흥부는 제비의 다친 ㄷ ㄹ 를
치료해 주었다.

(2) 흥부는 제비가 물어다 준 박씨를 심
어 ㅂ ㅈ 가 되었다.

문장 쓰기

2 **1**에서 쓴 내용으로 보아, 흥부의 성격은 어떠한지 보기 에서 골라 쓰세요.

보기

이기적이다.   욕심이 많다.   마음씨가 착하다.

3
주

한 편 쓰기

3 **1**과 **2**에서 쓴 내용을 넣어 흥부의 인물 카드를 완성해 보세요.

흥부의 모습을 그려 보세요.

❶ 소개하는 말: _____

_____

제비가 물어다 준 박씨를 심어 부자가 되었다.

❷ 성격: _____

_____

흥부

1 잘 듣고, 따라 쓰세요.

따라 쓰기

❶ | 박 | 씨 | 를 | V | 심 | 었 | 어 | 요 | . |

❷ | 쏟 | 아 | 져 | V | 나 | 왔 | 어 | 요 | . |

2 잘 듣고, 빈칸에 알맞은 낱말을 받아쓰세요.

낱말
받아쓰기

❶ 흥부는 인정이 | | | .

❷ 놀부는 | | | | .

3 잘 듣고, 사진에 알맞은 문장을 받아쓰세요.

문장
받아쓰기

| | 구 | 렁 | 이 | 를 | V | | | | | V |

| | | | V | | | | | |

◉ 놀부가 한 말과 행동을 보고, 보기 에서 알맞은 말을 골라 「흥부 놀부」 이야기에 나오는 놀부의 인물 카드를 만들어 보세요.

(1) 놀부는 부자가 되려고 멀쩡한 제비 다리를 일부러 부러뜨리고 다시 치료해 주었다.

(2) 놀부는 제비가 물어다 준 박씨를 심어 열린 박에서 나온 도깨비에게 크게 혼났다.

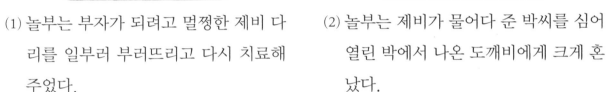

보기

> 제비를 잡아먹으려는 구렁이를 쫓아내고

> 멀쩡한 제비 다리를 일부러 부러뜨리고

> 욕심이 많다.

> 남을 잘 돕는다.

힌트 놀부는 부자가 되고 싶은 욕심에 제비 다리를 부러뜨렸어요.

놀부의 모습을 그려 보세요.

놀부

❶ 소개하는 말: 부자가 되려고 _____

_____

_____

다시 치료해 주어서 도깨비에게 혼났다.

❷ 성격: _____

_____

2일 책 내용 간추려 쓰기

달래
책 내용을 어떻게 간추려 쓰지?

기찬
잘~ 써야지!

밤톨
책 내용을 잘~ 간추려 쓰는 방법이 대체 뭐냐고?

친구들, 오늘은 책 『꼬마 사또』를 읽고, 독서록에 책 내용을 간추려 써 볼 거예요.

독서록에 책 내용을 간추려 써라!

독서록에 책 내용을 간추려 쓸 수도 있어요.

책 내용을 간추려 쓰려면 누가, 언제, 어디에서,

무엇을, 왜 하였는지 찾아서 정리하면 된답니다.

▶ 정답 및 해설 17쪽

◉ 책 내용을 간추려 쓰는 방법에 맞게 빈칸에 알맞은 말을 따라 쓰세요.

책 내용을 간추려 쓰려면 **누 가**, **언 제**, **어 디** 에서, **무 엇**
을, **왜** 하였는지 찾아서 정리해요.

3
주

◉ 위에서 따라 쓴 낱말을 모두 찾아 색칠해 보고, 어떤 모양이 나오는지 알아보아요.

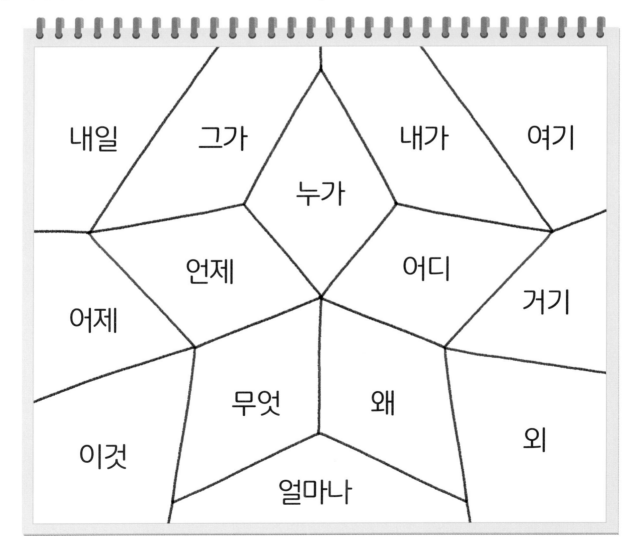

◉ 다음 이야기를 읽고, 내용을 간추려 쓰세요.

꼬마 사또

사또가 열다섯 살이래.

흥! 사또라고 꼬마 주제에 내게 명령을 해? 기분 나빠!

사또가 어리다고 인사를 하지 않잖아.

인사를 할 줄 모르는 것 같으니 모두 이 돌로 만든 갓을 쓰고 다녀라!

사또는 왜 무거운 돌로 갓을 만들라고 하시지?

사또, 잘못했습니다. 이 무거운 갓을 벗게 해 주십시오!

🐭 **어휘 풀이**

▼ **사또** 마을을 다스리는 벼슬아치 중 가장 높은 사람을 부르던 말.
　　예) 우리 <u>사또</u>께서는 백성을 사랑하신다.

▼ **주제** 변변하지 못한 처지. 예) 네 <u>주제</u>에 이런 비싼 물건은 어울리지 않아.

▼ **갓** 옛날, 어른이 된 남자가 머리에 쓰던 모자의 한 가지.

▲ 갓

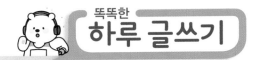

▶ 정답 및 해설 17쪽

낱말 쓰기

1 다음 사또의 말을 잘 읽고, 빈칸에 알맞은 낱말을 각각 쓰세요.

 인사를 할 줄 모르는 것 같으니 모두 이 돌로 만든 갓을 쓰고 다녀라!

언제, 어디에서	옛날, 어느 마을에서	누가	꼬마 사또가
무엇을 하였나	(1) 벼슬아치들에게 ㄷ 로 만든 갓을 쓰게 했다.		
왜 하였나	(2) 사또가 어리다고 ㅇ ㅅ 도 안 했기 때문이다.		

문장 쓰기

2 1에서 일어난 일을 두 문장으로 정리하여 쓰세요.

❶ 꼬마 사또가 벼슬아치들에게   을 쓰게 했다.

❷ 사또가 어리다고   때문이다.

한 편 쓰기

3 2에서 쓴 문장을 넣어 이야기의 내용을 간추려 쓰세요.

❶새	로	V	온	V	꼬	마	V	사
또	가	V						V
		V		V		V		
	V	했	다 .	❷사	또	가	V	
		V				V		V
		V						

1
따라 쓰기

잘 듣고, 따라 쓰세요.

❶

| 열 | 다 | 섯 | V | 살 | 이 | 래 | . | |

❷

| 내 | 게 | V | 명 | 령 | 을 | V | 해 | ? |

2
낱말
받아쓰기

잘 듣고, 빈칸에 알맞은 낱말을 받아쓰세요.

❶ 꼬마 사또를 [ ] 여겼다.

❷ 나쁜 [ ] 을 고쳐 주기로 마음먹었다.

3
문장
받아쓰기

잘 듣고, 그림에 알맞은 문장을 받아쓰세요.

| | | | | | V | | V | | | V |
| | | | | | V | | | | | |

◉ 다음은 「꼬마 사또」의 뒷이야기입니다. 잘 읽고, 내용을 간추려 쓰세요.

이 수숫대를
부러뜨리지 말고
소매 안에 넣어라!

사또, 이렇게 긴 수숫대를
부러뜨리지 않고 소매 안에
넣을 수는 없습니다.

일 년도 자라지 않은
수숫대도 소매 안에 못
넣으면서 십 오 년이나
자란 나를 무시하느냐?

3주

꼬	마		사	또	가			

어리다고 또다시 꼬마 사또를 무시한 벼슬아치들을 혼내 주기 위해서였다.

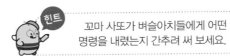 힌트
꼬마 사또가 벼슬아치들에게 어떤
명령을 내렸는지 간추려 써 보세요.

뒷이야기 상상하여 쓰기

독서록에 뒷이야기를 상상하여 써라!

독서록에 뒷이야기를 상상하여 쓸 때에는

그 후 등장인물들은 어떻게 되었을지,

어떤 일이 더 일어났을지 상상하여 써요.

그리고 뒷이야기는 앞부분과 자연스럽게 이어지도록 써야 해요.

▶ 정답 및 해설 18쪽

● 독서록에 뒷이야기를 상상하여 쓰는 방법에 맞게 빈칸에 알맞은 말을 쓰고, 퍼즐판에서 찾아 ○표를 하세요.

❶ ☐☐☐☐ 들은 어떻게 되었을지 상상하여 써요.

어떤 ❷ ☐☐ 이 더 일어났을지 상상하여 써요.

뒷	이	야	기
일	기	구	수
상	심	공	건
등	장	인	물

❸ ☐☐☐☐ 는 앞부분과 자연스럽게 이어지도록 써야 해요.

● 다음 이야기를 읽고, 뒷이야기를 상상하여 쓰세요.

토끼전

가 "제 간이 용왕님의 병을 낫게 한다니 정말 다행스러운 일입니다. 그런데 먼 길을 오느라 간을 숲속에 숨겨 두고 왔지 뭡니까?"

"이런 괘씸한 놈! 내가 너의 잔꾀에 속을 줄 알고?"

"전하, 저에게는 간을 넣었다 뺐다 하는 구멍이 따로 있습니다. 직접 보시겠습니까?"

나 토끼를 등에 태우고 땅 위에 도착한 자라는 토끼에게 말했습니다.

"여기서 기다릴 테니, 어서 간을 가져오시오."

"이 어리석은 자라야! 이 세상에 어떤 동물이 간을 꺼내 놓고 산단 말이냐? 용왕은 욕심도 많구나. 자기 목숨이 귀하면 남의 목숨도 귀한 줄 알아야지."

토끼는 이렇게 말하고는 깔깔거리며 숲속으로 달아나 버렸습니다.

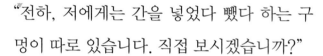 **어휘 풀이**

▼**괘씸한** 기대나 믿음에 어긋나는 못마땅한 행동을 하여 미움을 받을 만한 데가 있는.
　예 동생의 괘씸한 행동에 엄마께서 단단히 화가 나셨다.

▼**전하**|큰 집 전 殿, 아래 하 下| 조선 시대에, 왕을 높여 이르거나 부르던 말.
　예 전하, 용서해 주시옵소서.

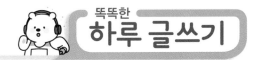
낱말 쓰기

다음은 「토끼전」의 뒷이야기를 상상한 것입니다. 빈칸에 알맞은 낱말을 각각 쓰세요.

토끼의 간 대신 토끼 **똥**을 갖고 돌아왔습니다.

→

병이 나았으니 자라에게 큰 **벼슬**을 내리겠노라.

(1) 자라는 토끼 ㄸ 을 갖고 용궁으로 돌아왔어요.

(2) 용왕은 병이 나아 자라에게 큰 ㅂ ㅅ 을 내렸어요.

문장 쓰기

1에서 일어난 일을 두 문장으로 정리하여 쓰세요.

❶ 자라는   용궁으로 돌아왔어요.

❷ 용왕은 병이 나아 자라에게 큰   .

한 편 쓰기

2에서 쓴 문장을 넣어 「토끼전」의 뒷이야기를 상상하여 쓰세요.

❶자	라	는	V			V			V
		V				V			
			❷이	것	을	V	먹	고	V
용	왕	은	V	병	이	V	나	아	V
			V		V				V

받아쓰기 듣기

▶ 정답 및 해설 18쪽

1
따라 쓰기

잘 듣고, 따라 쓰세요.

❶ | 이 | 런 | V | 괘 | 씸 | 한 | V | 놈 | ! |

❷ | 직 | 접 | V | 보 | 시 | 겠 | 습 | 니 | 까 | ? |

2
낱말
받아쓰기

잘 듣고, 빈칸에 알맞은 낱말을 받아쓰세요.

❶ 이 [　　　][　　　][　　　][　　　] 자라야!

❷ 어떤 동물이 간을 [　　][　　] [　　][　　] 산단 말이냐?

3
문장
받아쓰기

잘 듣고, 그림에 알맞은 문장을 받아쓰세요.

용왕은 욕심도 많구나.
자기 목숨이 귀하면……

| | | | V | | | | V | | V |
| | V | | | | | | | | |

● 보기 의 내용 중 한 가지를 골라 「토끼전」의 뒷이야기를 완성해 보세요.

「토끼전」 뒷이야기

토끼를 놓친 자라는 도저히 빈손으로 돌아가 용왕을 만날 용기가 없었어요.

그	래	서					

보기

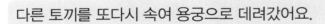

땅 위에 남아 약방을 차리고 살기로 결심했어요.

다른 토끼를 또다시 속여 용궁으로 데려갔어요.

땅 위에서 병을 잘 고친다는 의원을 찾아 용궁으로 데려갔어요.

힌트 세 가지 내용 중 어떤 내용을 골라 써도 모두 답이 될 수 있어요.

4일 등장인물에게 쪽지 쓰기

독서록에 ~~등장인물에게 보내는 쪽지~~를 써라!

등장인물에게 쪽지를 쓸 때에는 먼저 등장인물이 한 말이나 행동을 살펴보고 어떤 생각이나 느낌이 들었는지 써요. 등장인물을 친구나 잘 아는 사람처럼 여기고 자신의 생각이나 느낌을 솔직하게 쓰면 돼요.

◉ 사다리 타기를 하여 도착한 곳의 낱말을 따라 쓰며 등장인물에게 쪽지를 쓰는 방법을 알아
보아요.

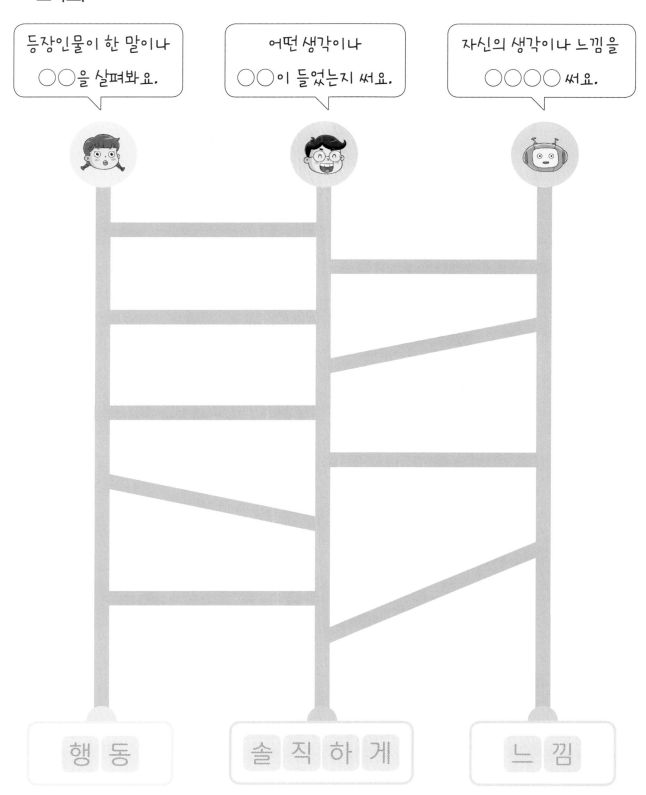

등장인물이 한 말이나
○○을 살펴봐요.

어떤 생각이나
○○이 들었는지 써요.

자신의 생각이나 느낌을
○○○○ 써요.

행 동

솔 직 하 게

느 낌

4일 등장인물에게 쪽지 쓰기

◉ 다음 이야기를 읽고, 왕자에게 쪽지를 쓰세요.

행복한 왕자

오스카 와일드

① 내 칼자루에 박힌 루비를 아픈 아들을 둔 가난한 여인에게 갖다 줘.

② 내 사파이어 눈 하나를 뽑아서 춥고 허름한 다락방에서 글을 쓰고 있는 가난한 작가에게 주고 와.

③ 내 사파이어 눈을 마저 빼서 저 성냥팔이 소녀에게 갖다 줘.

④ 내 몸을 덮고 있는 황금을 한 조각씩 떼어 불쌍한 사람들에게 나눠 줘.

⑤ 추위와 배고픔에 지친 제비는 죽었고, 왕자의 동상은 버려졌어요.

⑥ 왕자와 제비는 하늘나라에서 새 생명을 얻었어요.

🐭 어휘 풀이

▼**칼자루** 칼을 안전하게 쥐게 만든 부분. 예 칼자루를 잡고 칼집에서 칼을 뽑았다.

▼**허름한** 좀 헌 듯한. 예 전학 온 친구는 허름한 옷을 입고 있었다.

낱말 쓰기

1
단계

다음 장면에서 어떤 생각이나 느낌이 들었는지 빈칸에 알맞은 낱말을 보기 에서 각각
골라 쓰세요.

보기

불쌍해서   고마워서   도와주는   가르치는

(1) 왕자가 제비에게 자신의 몸에서 보석을 빼서 불쌍한 사람들에게 나누어 주라고 부탁하는 장면	왕자처럼 남을 잘 ☐☐☐☐ 사람이 되고 싶다고 생각함.
(2) 왕자의 동상이 버려진 장면	너무 ☐☐☐☐ 눈물이 남.

문장 쓰기

2
단계

1에서 쓴 생각이나 느낌을 두 문장으로 쓰세요.

❶   왕자처럼   사람이 되고 싶다고 생
각했다.

❷   눈물이 났다.

한 편 쓰기

3
단계

2에서 완성한 문장을 이용해 「행복한 왕자」의 왕자에게 쓴 쪽지를 완성하세요.

왕자에게
왕자야, 안녕? 네가 제비에게 네 몸의 보석을 빼서 불쌍한 사
람들에게 나누어 주라고 부탁하는 장면을 보고 나도 너처럼
❶ _____

_____

그리고 네 동상이 버려진 장면에서는 네가 ❷ _____

_____

하늘나라에서 제비와 함께 잘 지내길 바랄게.

3
주

1 잘 듣고, 따라 쓰세요.

따라 쓰기

❶ 작 가 에 게 V 주 고 V 와 .

❷ 동 상 은 V 버 려 졌 어 요 .

2 잘 듣고, 빈칸에 알맞은 낱말을 받아쓰세요.

낱말 받아쓰기

❶ 내 몸을 [　　　][　　　] 있는 황금

❷ 저 [　　][　　][　　][　　] 소녀에게 갖다 줘.

3 잘 듣고, 그림에 알맞은 문장을 받아쓰세요.

문장 받아쓰기

							V		V

			V						

▶ 정답 및 해설 19쪽

◉ 다음 대화를 읽고, 달래가 「행복한 왕자」에 나오는 제비에게 쓴 쪽지를 완성해 보세요.

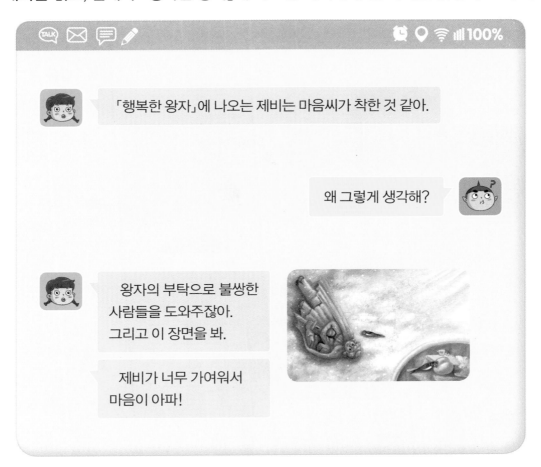

제비에게

　제비야, 왕자의 부탁을 거절하지 못하고 불쌍한 사람들에게 왕자의 보석을 갖다 주는 걸 보니 너는 정말 ❶ _____

_____

　그리고 추위와 배고픔으로 네가 지쳐 죽었을 때 ❷ _____

_____

하늘나라에서 왕자와 잘 지내길 바라.

달래가

 힌트 　제비가 한 일과 제비가 죽은 장면을 보고 어떤 생각이나 느낌이 들었는지 쓰면 쪽지를 완성할 수 있어요.

5일 독서록에 만화 그리기

독서록에 만화를 그려라!

독서록에 만화를 그릴 때에는 먼저 책 내용을 파악해야 해요.

그런 다음 어떤 내용으로 만화를 그릴지 정하고, 칸을 나누어 그림을 그려요.

마지막으로 말풍선 안에 대사를 써넣어요.

◉ 독서록에 만화를 그리는 방법에 맞게 빈칸에 알맞은 말을 쓰고, 퍼즐판에서 찾아 ◯표를 하세요.

어떤 내용으로
❶ ☐ ☐ 를
그릴지 정해요.

❷ ☐ 을 나누어
그림을 그려요.

거	위	칸	귀
만	기	막	신
화	가	이	빨
전	등	대	사

말풍선 안에
❸ ☐ ☐ 를 써요.

5일 독서록에 만화 그리기

● 친구가 쓴 글 을 읽고, 독서록에 들어갈 만화를 완성하세요.

친구가 쓴 글

책 제목	▼부자와 당나귀
출판사	천재교육

농부와 아들은 당나귀를 팔러 시장에 가는 길에 여러 사람을 만난다.

처음 만난 아가씨는 당나귀를 끌고 가지 말고 타고 가면 편할 거라고 말하고, 두 번째 만난 노인은 어린 아들 대신 어른인 농부가 당나귀를 타고 가야 한다고 말한다. 세 번째 만난 아주머니는 둘 다 당나귀를 타고 가면 좋을 거라고 말하고, 네 번째 만난 장사꾼은 당나귀가 지치지 않게 메고 가야 한다고 말한다.

농부와 아들은 이렇게 다른 의견을 들을 때마다 생각 없이 행동을 바꾸다가 결국 당나귀를 강에 빠뜨려 잃고 만다.

이 이야기를 읽고 다른 사람의 의견을 무조건 따라 하지 말고 그 의견이 적절한지 잘 ▼판단하여 행동해야겠다고 생각했다.

🐹 어휘 풀이

▼**부자**|아버지 부 父, 아들 자 子| 아버지와 아들을 아울러 이르는 말.
　예 우리 부자는 얼굴이 닮았다는 소리를 많이 듣는다.
▼**판단**|판가름할 판 判, 끊을 단 斷| 논리나 기준에 따라 어떤 것에 대한 생각을 정함.
　예 엄마께서 내 판단을 믿어 주셨다.

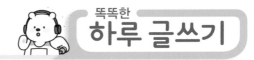

▶ 정답 및 해설 20쪽

낱말 쓰기

 다음은 책 『부자와 당나귀』를 읽고, 내용을 다섯 개의 장면으로 정리한 것입니다. 빈칸에 알맞은 낱말을 보기 에서 각각 골라 쓰세요.

> 보기
>
> 강   불   당나귀   송아지

장면 ❶	아가씨는 당나귀를 끌고 가지 말고 타고 가야 한다고 말함.
장면 ❷	(1) 노인은 아들 대신 어른이 ☐☐☐ 를 타고 가야 한다고 말함.
장면 ❸	아주머니는 둘 다 당나귀를 타고 가야 한다고 말함.
장면 ❹	장사꾼은 당나귀를 메고 가야 한다고 말함.
장면 ❺	(2) 농부와 아들은 당나귀를 ☐ 에 빠뜨려 잃고는 다른 사람의 의견을 무조건 따라 한 것을 후회함.

문장 쓰기

 1에서 정리한 내용을 바탕으로 만화의 빈 말풍선 안에 알맞은 대사를 각각 쓰세요.

1

따라 쓰기

잘 듣고, 따라 쓰세요.

❶ 당 나 귀 를 V 팔 러

❷ 두 V 번 째 V 만 난

2

낱말
받아쓰기

잘 듣고, 빈칸에 알맞은 낱말을 받아쓰세요.

❶ 두 사람이 함께 타면 ⬚⬚⬚⬚ .

❷ 장사꾼 몇 사람이 농부에게 ⬚⬚⬚⬚ 말했습니다.

3

문장
받아쓰기

잘 듣고, 그림에 알맞은 문장을 받아쓰세요.

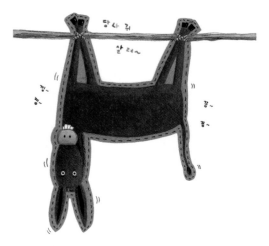

⬚⬚⬚⬚ V ⬚⬚⬚⬚ V

⬚⬚⬚⬚⬚⬚⬚⬚

● 친구가 쓴 글 을 읽고, 독서록에 들어갈 만화의 마지막 칸을 완성하세요.

친구가 쓴 글

책 제목	사자와 생쥐		
글쓴이	이솝	출판사	천재교육

 호기심 많은 생쥐 한 마리가 잠자는 사자를 구경하다가 그만 사자의 코털을 건드렸다. 낮잠을 자던 사자는 몹시 화가 났지만 다행히 생쥐를 용서해 주었다.

 며칠 후 사자는 사냥꾼이 쳐 놓은 그물에 걸렸다. 하지만 생쥐가 사자의 울음소리를 듣고 달려와 이빨로 그물을 갉아 사자를 구해 주었다.

 이 이야기를 읽고 사자처럼 잘못한 친구를 용서해 주어야겠다고 생각했다. 또 내 잘못을 용서해 준 친구에게는 꼭 보답을 해야겠다고 다짐했다.

 힌트 그림을 색칠하고, 생쥐가 이빨로 그물을 갉아 사자를 구해 준 뒤에
사자와 생쥐가 어떤 말을 주고받을지 상상하여 말풍선 안에 써 봐요.

생활 어휘 다음 만화를 보며 '귀가 얇다'라는 표현의 뜻을 알아보고, 상황에 맞게 써 보세요.

귀가 얇다고?

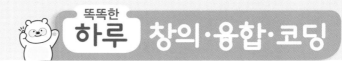

표현의 뜻을 알아봐요!

귀가 얇다

이 말은 "남의 말을 쉽게 받아들인다."라는
뜻으로 쓰이는 표현이랍니다.

이제 이 표현을 넣어 상황에 맞게 써 볼까요?

그거 맛없지?

내 동생은 귀 가 얇 다 .
그래서 내 말에 잘 속는다.

● 「흥부 놀부」 이야기에 나오는 흥부가 제비가 물어다 준 박을 탔어요. 박에서 무엇이 나왔는 지 선을 잇고, 낱말의 알맞은 뜻을 알아보세요.

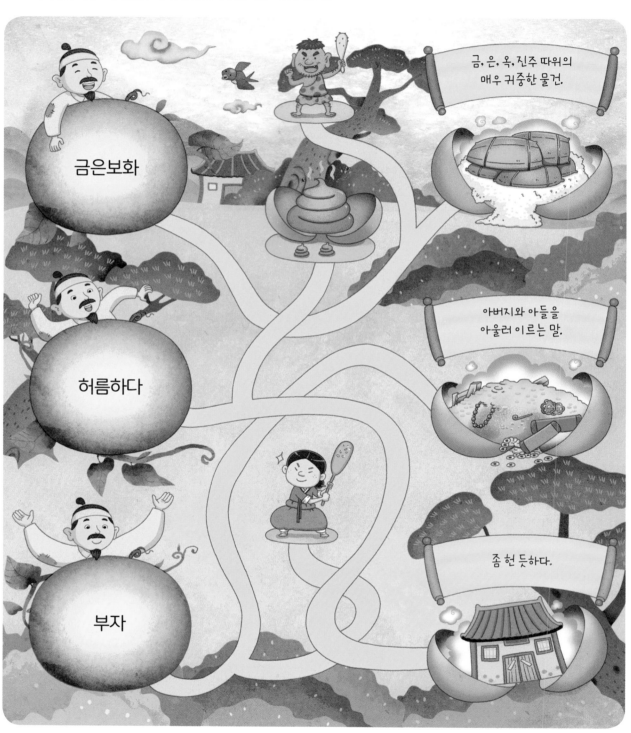

 창의 「흥부전」의 내용을 떠올리며 3주에 나왔던 **낱말과 그 뜻**을 익혀 봅니다.

「토끼전」의 토끼가 육지로 돌아와 좋아하는 당근을 모으고 있어요. 도착할 때까지 몇 개의 당근을 모았는지 빈칸에 숫자로 쓰세요.

 토끼가 도착할 때까지 모은 당근은 모두 [ ]개예요.

융합
국어+수학

「토끼전」의 뒷이야기를 상상해 보고, 토끼가 모은 당근의 수를 구하며 **한 자릿수 곱셈**을 익혀 봅니다.

● 「행복한 왕자」에 나오는 제비가 왕자의 부탁으로 맨발로 서서 울고 있는 성냥팔이 소녀에게 사파이어를 갖다 주려고 해요. 빈칸에 알맞은 숫자를 넣어 코딩 명령을 완성하세요.

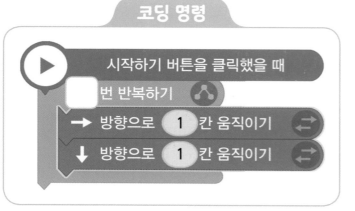

코딩 명령 풀이

제비는 → 방향으로 한 칸, ↓ 방향으로 한 칸 이동해요. 이것을 몇 번 반복해야 할까요?

 코딩 「행복한 왕자」에 나오는 제비가 성냥팔이 소녀에게 가려면 어떤 코딩 명령이 필요한지 생각하며 **코딩 명령을 완성**해 봅니다.

● 다음은 「부자와 당나귀」의 마지막 장면을 그린 것입니다. 두 그림에서 다른 부분을 다섯 군데 찾아 ○표를 하세요.

 창의 「부자와 당나귀」의 마지막 장면에서 서로 다른 부분을 찾아보며 이 **이야기의 교훈**을 다시 한번 되새겨 봅니다.

1 다음은 무엇에 대한 설명인지 알맞은 것을 골라 ○표를 하세요.

> 책을 읽고 나서 줄거리, 생각, 느낌 따위를 기록한 글

(독서록 , 이야기 , 설명하는 글)

[2~3] 다음 글을 읽고, 물음에 답하세요.

> (가) 어느 날, 제비 한 마리가 커다란 구렁이를 피하려다 다리가 부러졌어요. 그 모습을 본 흥부는 구렁이를 쫓아내고, 제비의 다리를 정성껏 치료해 주었지요.
>   이듬해 봄이 되자 다리를 다쳤던 제비가 박 씨를 물고 돌아왔어요.
> (나) 가을이 되자 흥부네 집 지붕 위에는 탐스러운 박이 주렁주렁 열렸어요. 흥부네 가족들은 톱질을 했지요. 박이 '쩍' 하고 벌어지자, 그 안에서 수많은 금은보화가 우르르 쏟아져 나왔어요.

2 다음은 어떤 낱말의 뜻인지 골라 ○표를 하세요.

> 금, 은, 옥, 진주 따위의 매우 귀중한 물건.

(박씨 , 금은보화)

3 다음은 흥부의 인물 카드입니다. 보기 에서 알맞은 말을 각각 골라 빈칸에 쓰세요.

> 보기
> 날개   다리   착하다   나쁘다

흥부

(1) 소개하는 말:
제비의 다친 □□를 치료해 주고 제비가 물어다 준 박씨를 심어 부자가 되었다.

(2) 성격:
마음씨가 □□□.

4 독서록에 책 내용을 간추려 쓰는 방법에 맞게 알맞은 말을 골라 ○표를 하세요.

> 누가, 언제, 어디에서, 무엇을, (왜 , 외) 하였는지 찾아서 정리한다.

5 다음은 받아쓰기를 한 문장입니다. 잘못 받아 쓴 문장을 골라 ×표를 하세요.

(1) 꼬마 사또를 하찬케 여겼다. (   )

(2) 나쁜 버릇을 고쳐 주기로 마음먹었다.
(   )

▶ 정답 및 해설 22쪽

[6~7] 다음 글을 읽고, 물음에 답하세요.

(가) "제 간이 용왕님의 병을 ㉠낫게 한다니 정말 다행스러운 일입니다. 그런데 먼 길을 오느라 간을 숲속에 숨겨 두고 왔지 뭡니까?"

(나) "여기서 기다릴 테니, 어서 간을 가져오시오."

"이 ㉡어리석은 자라야! 이 세상에 어떤 동물이 간을 꺼내 놓고 산단 말이냐? 용왕은 욕심도 ㉢만쿠나. 자기 목숨이 귀하면 남의 목숨도 귀한 줄 알아야지."

토끼는 이렇게 말하고는 깔깔거리며 숲속으로 달아나 버렸습니다.

6 이 이야기의 뒷이야기를 상상하여 알맞게 쓴 사람은 누구인지 이름을 쓰세요.

> 채민: 육지로 돌아간 토끼는 숲속에 숨겨 두었던 간을 자라에게 주었어요.
>
> 현솔: 토끼를 놓친 자라는 도저히 빈손으로 돌아가 용왕을 만날 용기가 없었어요. 그래서 토끼 똥을 갖고 용궁으로 돌아갔어요.

(   )

7 ㉠~㉢ 중 잘못 쓴 낱말을 골라 기호를 쓰세요.

(   )

[8~9] 다음은 「행복한 왕자」를 읽고 쓴 글입니다. 잘 읽고, 물음에 답하세요.

> 왕자에게
>   왕자야, 안녕? 네가 제비에게 네 몸의 보석을 빼서 불쌍한 사람들에게 나누어 주라고 부탁하는 장면을 보고   ㉠

8 이 글은 어떤 형태로 쓴 독서록인지 골라 ○표를 하세요.

(만화 , 쪽지 , 인물 카드)

글쓰기

9 ㉠ 안에 들어갈 알맞은 말을 보기 에서 골라 쓰세요.

> **보기**
> 도움을 받는   남을 잘 돕는

> 나도 너처럼
> 사람이 되고 싶다고 생각했어.

글쓰기

10 다음은 독서록에 들어갈 만화의 일부분입니다. 빈 말풍선 안에 들어갈 사자의 말로 알맞은 것을 골라 따라 쓰세요.

미	안	해	!	고	마	워	!

4주 이번 주에는 무엇을 공부할까? ❶

부탁하는 글을
써 보자!

이번 주에는 무엇을 공부할까? ❷

1-1 다음 중 부탁하는 글에 대해 바르게 말한 친구는 누구인지 ◯표를 하세요.

(1) 누군가에게 부탁하고 싶은 것이 있을 때 부탁받는 사람의 마음을 생각하며 쓰는 글이야.

(   )

(2) 누군가에게 잘못한 일이 있을 때 미안한 마음을 담아 솔직하게 쓰는 글이야.

(   )

1-2 부탁하는 글을 쓸 때에는 무엇을 생각하며 써야 하는지 보기 에서 알맞은 말을 찾아 빈칸에 쓰세요.

보기

성격   마음

생김새   사는 곳

부탁하는 글은 부탁받는 사람의 [   ] 을 생각하며 써야 해요.

▶ 정답 및 해설 23쪽

2-1 다음은 부탁하는 글을 쓰기 전에 떠올려야 할 내용과 부탁하는 글에 들어갈 내용을 쓴 것입니다. 빈칸에 알맞은 말을 보기 에서 골라 쓰세요.

보기

까닭　　　　말　　　　상황

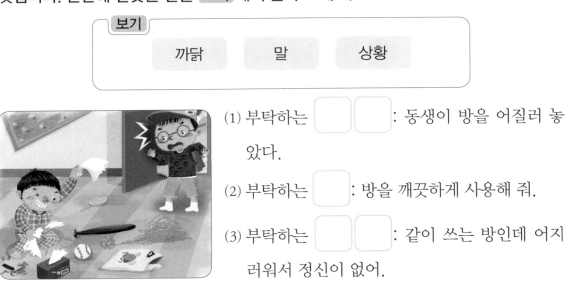

(1) 부탁하는 [　][　] : 동생이 방을 어질러 놓았다.

(2) 부탁하는 [　] : 방을 깨끗하게 사용해 줘.

(3) 부탁하는 [　][　] : 같이 쓰는 방인데 어지러워서 정신이 없어.

2-2 다음 밑줄 그은 부분은 부탁하는 글에 들어갈 내용 중 무엇에 해당하는지 알맞은 것을 골라 ○표를 하세요.

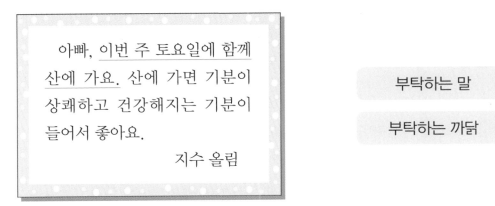

아빠, 이번 주 토요일에 함께 산에 가요. 산에 가면 기분이 상쾌하고 건강해지는 기분이 들어서 좋아요.

　　　　　　　　지수 올림

부탁하는 말

부탁하는 까닭

부탁하는 상황 떠올리기

부탁하는 글을 쓰기 전에 부탁하는 상황을 떠올려라!

부탁하는 글은 누군가에게 부탁하고 싶은 것이 있을 때

부탁받는 사람의 마음을 생각하며 쓰는 글이에요.

부탁하는 글은 언제 쓰면 좋을지 생각해 보고,

부탁하는 글을 쓰기 전에 먼저 부탁하는 상황을 떠올려 보아요.

◉ 부탁하는 글을 쓰는 방법에 맞게 빈칸에 알맞은 말을 쓰고, 퍼즐판에서 찾아 ◯표를 하세요.

누군가에게 부탁하고
싶은 것이 있을 때
❶ ☐ ☐ ☐ ☐
글을 써요.

부탁하는 글을 쓸 때에는 부탁
받는 사람의 ❷ ☐ ☐ 을
생각해야 해요.

상	미	르	마
황	감	눈	음
부	탁	하	는
염	자	흉	터

부탁하는 글을 쓰기 전에 먼저 부탁
하는 ❸ ☐ ☐ 을 떠올려 봐요.

부탁하는 상황 떠올리기

● 다음 그림에 나오는 친구들의 고민을 살펴보고, 부탁하는 상황을 정리하여 쓰세요.

어휘 풀이

▼**재활용**|다시 재 再, 살 활 活, 쓸 용 用|　못 쓰게 되어 버린 쓸모 있는 물건을 쓰이는 곳을 바꾸거나 새로운 제품으로 만들어서 다시 씀. 예 오늘은 아파트 재활용 쓰레기를 분리배출하는 날이다.

▼**분류**|나눌 분 分, 무리 류 類|　종류에 따라서 쪼개거나 나누어 따로따로 되게 함.
　　예 도서관에 가면 책이 종류별로 분류되어 있다.

낱말 쓰기

 다음 그림을 보고, 빈칸에 알맞은 낱말을 보기 에서 각각 골라 쓰세요.

> 보기
>
> 사물함   쓰레기   동물원   박물관

(1) 교실에 재활용 ☐☐☐

분류가 제대로 되지 않는다.

(2) 부모님과 함께 ☐☐☐

에 가고 싶다.

문장 쓰기

 1에서 쓴 내용을 넣어 부탁하는 상황을 두 가지 정리하여 쓰세요.

(1)

교	실	에	∨				∨
		∨			∨		∨
		∨	않	아	∨	지	저	분	하
다	.						

(2)

이	번	∨	주	말	에	∨	부	모
님	과	∨	함	께	∨			∨
		∨						

1 잘 듣고, 따라 쓰세요.

따라 쓰기

❶ | 재 | 활 | 용 | V | 쓰 | 레 | 기 | |

❷ | 놀 | 러 | V | 가 | 고 | V | 싶 | 어 | . |

2 잘 듣고, 빈칸에 알맞은 낱말을 받아쓰세요.

낱말
받아쓰기

❶ 교실에서 뛰어다니는 친구가 ☐☐ .

❷ 생일 선물로 ☐☐☐ 을 받고 싶다.

3 잘 듣고, 그림에 알맞은 문장을 받아쓰세요.

문장
받아쓰기

| | 새 | V | | | | | | V | |
| | V | | | | | | |

● 다음 그림을 보고, 친구가 쓴 글 처럼 부탁하는 상황을 떠올려 보기 에서 알맞은 말을 골라 문장을 완성하세요.

친구가 쓴 글

| 동 | 생 | 이 | | 방 | 을 | | 어 | 질 |
| 러 | | 놓 | 았 | 다 | . | | | |

보기

나와 동생을 차별하신다.

별명을 부르며 놀린다.

힌트 　보기 의 말을 넣어 그림과 어울리는 문장을 써 봐요.

콩콩, 콩콩아!

❶

| 친 | 구 | 가 | | 자 | 꾸 | | |
| | | | | | | | |

❷

| 부 | 모 | 님 | 께 | 서 | | |
| | | | | | | |

부탁하는 말 쓰기

판판
와~, 여기 어디야?

달래
풍경이 너무 예쁘다!

기찬
부모님께 이번 주말에 나들이를 가자고 부탁해야겠어.

부모님이나 친구들과 함께 하고 싶거나 가고 싶은 곳 등 부탁하고 싶은 것이 있는지 생각해 보고 부탁하는 말을 써 봐요.

무엇을 원하는지 부탁하는 말을 써라!

부탁할 때에는 나보다 먼저 부탁받는 사람의 마음을 생각해서 무엇을 부탁할지 써요.

이때 부탁받는 사람이 들어줄 수 있는 부탁을 해야 해요.

그리고 자신의 생각을 잘 나타내기 위해서 내용을 자세히 써요.

웃어른께는 예의 바른 말을 사용하는 것도 잊지 말아요.

● 사다리 타기를 하여 도착한 곳의 낱말을 따라 쓰며, 부탁하는 말을 쓰는 방법을 알아보아요.

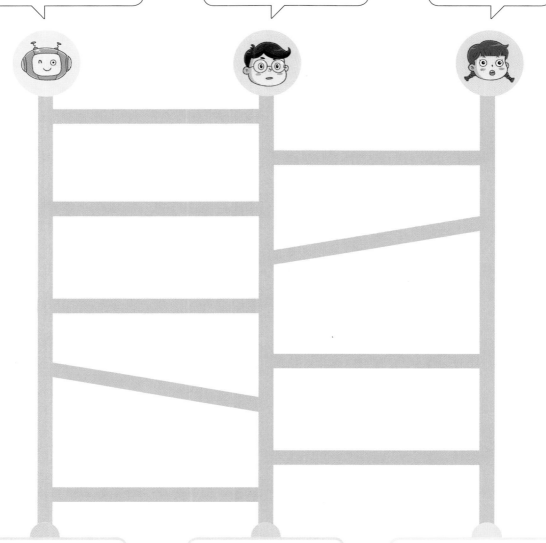

나보다 먼저 부탁받는 사람의 마음을 생각해서 무엇을 ○○할지 써요.

자신의 생각을 잘 나타내기 위해서 내용을 ○○○ 써요.

웃어른께는 ○○ 바른 말을 사용해서 써요.

예 의
↓
'~해 주세요.' 등의 말을 사용해 예의 바르게 부탁해요.

자 세 히
↓
부탁받는 사람이 이해할 수 있게 자세히 써요.

부 탁
↓
부탁받는 사람이 부담 스러워하지 않고 들어줄 수 있는 부탁을 해요.

● 다음 대화를 읽고, 수혁이가 부모님께 부탁하는 말은 무엇일지 쓰세요.

TALK ✉ 💬 ✏   ⏰ 📍 📶 100%

수혁아! 네 생일이 일주일 밖에 안 남았네.

응, 일주일이 빨리 지나갔으면 좋겠어.

부모님께서 생일 선물로 뭐 사 주신대?

아직 아무 말씀이 없으신데, 사실 받고 싶은 선물이 있어.

뭔데? 궁금해.

친구가 자전거를 쌩쌩 타는 것을 보고 나도 자전거가 있었으면 좋겠다고 생각했어.

그럼 부모님께 자전거를 사 달라고 부탁하는 말을 써 봐.

어휘 풀이

▼ **말씀** 남의 말을 높여 이르는 말. ⑩ 선생님의 말씀을 듣고 집으로 왔다.

▼ **쌩쌩** 사람이나 물체가 바람을 일으킬 만큼 잇따라 빠르게 움직일 때 나는 소리. 또는 그 모양.
　⑩ 고속 도로에서는 차들이 쌩쌩 달린다.

낱말 쓰기

다음 그림을 보고, 부탁하는 말은 무엇일지 생각하며 빈칸에 들어갈 낱말을 보기 에서 각각 골라 쓰세요.

보기

| 설날 | 생일 | 자전거 | 게임기 |

(1) 제 ☐☐ 이 다가옵니다.

(2) 생일 선물로 ☐☐☐ 를 사 주세요.

문장 쓰기

1 에서 쓴 부탁하는 말을 한 문장으로 정리하여 쓰세요.

제 _____ 이 다가오는데 생일 선물로

_____ .

한 편 쓰기

2 에서 쓴 문장을 넣어 부탁하는 말을 쓰세요.

1
따라 쓰기

잘 듣고, 따라 쓰세요.

❶ | | 뭐 | V | 사 | V | 주 | 신 | 대 | ? | |

❷ | | 자 | 전 | 거 | 가 | V | 있 | 었 | 으 | 면 |

2
낱말
받아쓰기

잘 듣고, 빈칸에 알맞은 낱말을 받아쓰세요.

❶ 토요일에 [   ] 에 가요.

❷ 운동장에 [   ] 를 버리지 마세요.

3
문장
받아쓰기

잘 듣고, 그림에 알맞은 문장을 받아쓰세요.

| | 현 | 관 | 문 | 에 | V | | | | | V |
| | | | | V | | | | | |

◉ 다음 그림을 보고, 부탁하는 상황에 어울리는 부탁하는 말을 각각 쓰세요.

선	생	님	,					

엄	마	,						

힌트
그림의 상황을 보고 어떤 내용의 부탁하는 말을
쓰면 좋을지 생각해서 써 보세요.

부탁하는 까닭 쓰기

왜 그런 부탁을 하는지 부탁하는 까닭을 써라!

부탁하는 글을 쓸 때에는 부탁하는 말과 함께 왜 그런 부탁을 하는지

부탁하는 까닭을 함께 써야 해요.

부탁받는 사람이 이해하고 부탁을 들어줄 수 있도록

부탁하는 까닭을 자세히 쓰는 것이 좋아요.

● 그림에 맞는 퍼즐 모양을 찾아 선으로 잇고, 부탁하는 글에 들어가는 내용 중 무엇에 해당하는지 알아보아요.

부탁하는 까닭을 찾아 문장을 따라 쓰세요.

심	심	할	V	때	V	동	생	과	V
재	미	있	게	V	놀	V	수	V	있
어	요	.							

● 다음 지수의 방에서 일어난 일을 보고, 부탁하는 말에 어울리는 부탁하는 까닭을 쓰세요.

낮 3시의 상황	밤 10시의 상황

위층

지수의 방

피아노 소리가 너무 커서 집중할 수가 없어.

위층

지수의 방

밤인데 너무 시끄럽네……. 내일은 위층에 사시는 분께 층간 소음을 줄여 달라고 부탁하는 글을 써야겠어.

🐭 **어휘 풀이**

▼**집중**|모을 집 集, 가운데 중 中| 한 가지 일에 모든 힘을 쏟아부음. 예 <u>집중</u>해서 수학 문제를 풀었다.

▼**층간**|층 층 層, 사이 간 間| 층과 층의 사이. 예 아파트는 <u>층간</u> 소음이 심하다.

▼**소음**|떠들 소 騷, 소리 음 音| 규칙이 없이 마구 섞이어 기분이 좋지 않은 시끄러운 소리.
예 고속 도로에는 <u>소음</u> 방지를 위해 벽이 설치되어 있다.

▶정답 및 해설 25쪽

낱말 쓰기

 다음 그림을 보고, 지수가 어떤 불편을 겪었는지 생각하여 빈칸에 알맞은 낱말을
보기 에서 각각 골라 쓰세요.

보기

잠   밥   공부   운동

(1) 낮에 피아노 소리가 너무 커서
⬜⬜ 에 방해가 돼요.

(2) 밤늦게까지 쿵쿵거려서 ⬜ 을
잘 수 없어요.

문장 쓰기

 1에서 지수가 겪은 상황을 두 문장으로 정리하여 쓰세요.

❶   낮에 피아노 소리가 너무 커서

　　　.

❷   밤늦게까지 쿵쿵거려서 　　　　　　　　　　　.

한 편 쓰기

 2에서 쓴 문장을 넣어 부탁하는 글에 들어갈 부탁하는 까닭을 쓰세요.

층간 소음을 줄여 주세요.
❶낮에 _____
_____
또 ❷밤늦게까지 _____
_____
_____

3일

똑똑한
하루 글쓰기 받아쓰기

▶ 정답 및 해설 25쪽

1

따라 쓰기

잘 듣고, 따라 쓰세요.

❶ | 집 | 중 | 할 | V | 수 | 가 | V | 없 | 어 | . |

❷ | 너 | 무 | V | 시 | 끄 | 럽 | 네 | … | … | . |

2

낱말
받아쓰기

잘 듣고, 빈칸에 알맞은 낱말을 받아쓰세요.

❶ 정리된 방을 보면 | | | 이 좋아져.

❷ | | | 을 하면 몸이 건강해질 것 같아요.

3

문장
받아쓰기

잘 듣고, 그림에 알맞은 문장을 받아쓰세요.

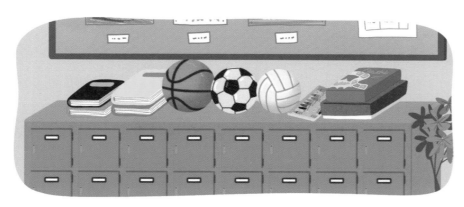

| 물 | 건 | 을 | V | | | | V |
| | | V | | | V | | |

● 다음 그림을 보고, 부탁하는 말에 어울리는 부탁하는 까닭을 보기 에서 골라 쓰세요.

보기

함부로 버린 쓰레기 때문에 벌레가 생깁니다.

버려진 쓰레기 때문에 집 앞이 너무 지저분합니다.

쓰레기를 치우고 청소하는 데 시간이 많이 걸립니다.

 힌트 보기 중 어떤 부탁하는 까닭을 골라 써도 모두 답이 될 수 있어요.

부탁하는 말	남의 집 앞에 쓰레기를 버리지 마세요.
부탁하는 까닭	

친구에게 부탁하는 글 쓰기

친구에게 부탁하는 글을 써라!

친구에게 부탁하는 글을 쓸 때에는

먼저 들어줄 수 있는 부탁인지 생각해 보고 부탁하는 말과 부탁하는 까닭을

자세하게 써요. 이때 친구의 마음을 헤아려 부탁하는 말을 써야 해요.

친근하게 쓰되 예의는 지켜서 써야 하는 것도 잊지 말아요.

▶ 정답 및 해설 26쪽

◉ 친구에게 부탁하는 글을 쓰는 방법에 맞게 빈칸에 알맞은 말을 쓰고, 퍼즐판에서 찾아 ◯표 를 하세요.

부탁하는 말과 부탁하는 까닭을
❶ ⬜ ⬜ ⬜ ⬜ 써요.

이때 친구의 ❷ ⬜ ⬜ 을 헤아려 부탁하는 말을 써야 해요.

소	예	의	자
리	요	루	세
마	음	글	하
감	사	씨	게

친근하게 쓰되
❸ ⬜ ⬜ 는 지켜서
써야 해요.

친구에게 부탁하는 글 쓰기

● 다음 하니의 그림일기를 보고, 해찬이에게 부탁하는 글을 써 보세요.

20○○년 ○○월 ○○일	날씨: 비가 오다가 갬

제목: 속상한 마음

어제부터 새로운 짝으로 바뀌었는데 나에게 고민이 생겼다.

내 짝인 해찬이는 ▼개구쟁이다. 수업 시간에 선생님 말씀을 집중해서 들으려고 하면 나에

게 ▼자꾸 말을 걸고 장난을 쳐서 선생님 말씀을 잘 듣지 못하는 경우가 있었다.

오늘도 수업 시간에 나에게 장난을 치며 내 공부를 ▼방해해서 속상했다.

해찬이가 수업 시간에 장난을 치지 않고 집중해서 공부를 했으면 좋겠다.

🐹 어휘 풀이

▼ **개구쟁이** 심하고 짓궂게 장난을 하는 아이. 예 내 동생은 개구쟁이라 늘 무릎에 상처가 있다.

▼ **자꾸** 여러 번 반복하거나 끊임없이 계속하여. 예 감기에 걸려서 자꾸 기침이 나온다.

▼ **방해**│방해할 방 妨, 해로울 해 害│ 남의 일을 간섭하고 막아 해를 끼침.

　　예 형이 책을 못 읽게 자꾸 방해한다.

▶ 정답 및 해설 26쪽

낱말 쓰기

다음 그림을 보고, 하니가 부탁하는 글을 쓰는 상황을 떠올려 빈칸에 알맞은 말을 쓰세요.

(1) 해찬이가 수업 시간에
나에게 자꾸 ㅁ 을 건다.

(2) 해찬이가 수업 시간에
나에게 ㅈ ㄴ 을 친다.

문장 쓰기

하니는 해찬이에게 어떤 부탁하는 말을 해야 할지 빈칸에 알맞은 말을 보기 에서 골라 쓰세요.

> **보기**
>
> 장난을 치지 　　　　　　 말을 걸고

	해	찬	아	,	수	업	V	시	간
에	V			V			V		
	V				V	말	아	V	줘	.

한 편 쓰기

2에서 쓴 부탁하는 말에 알맞은 부탁하는 까닭을 보기 에서 골라 한 가지를 쓰세요.

> **보기**
>
> 수업에 집중할 수 없어. 　　　　　 선생님 말씀을 잘 들을 수 없어.

1 잘 듣고, 따라 쓰세요.

따라 쓰기

❶

| 고 | 민 | 이 | V | 생 | 겼 | 다 | . | |

❷

| 공 | 부 | 를 | V | 방 | 해 | 했 | 다 | . |

2 잘 듣고, 빈칸에 알맞은 낱말을 받아쓰세요.

낱말
받아쓰기

❶ | | | 에서 뛰어다니지 말아 줘.

❷ 장난감을 가지고 논 뒤에 | | | | 에 두었으면 좋겠다.

3 잘 듣고, 그림에 알맞은 문장을 받아쓰세요.

문장
받아쓰기

| 도 | 서 | 관 | 에 | 서 | 는 | V | | |

| | V | | | | V | | | |

● 다음 대화를 보고, 빈칸에 들어갈 말을 밑줄 그은 부분에서 찾아 부탁하는 글을 완성해 보세요.

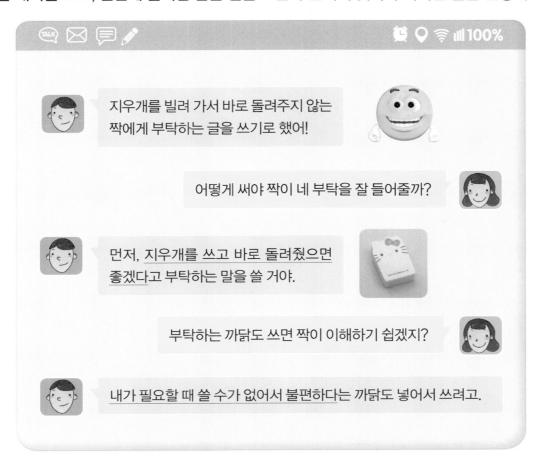

	예	원	아	,					

힌트

밑줄 그은 말을 넣어 부탁하는 글을 완성하여 쓰면 돼요.

5일 부모님께 부탁하는 글 쓰기

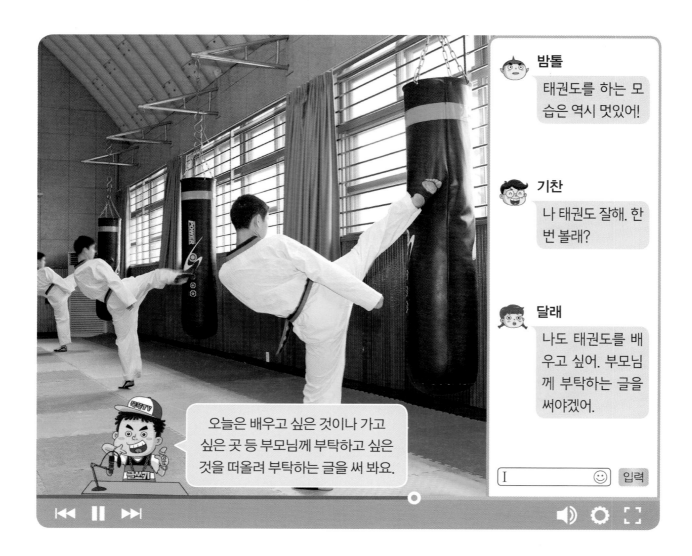

부모님께 부탁하는 글을 써라!

부모님께 부탁하는 글을 쓸 때에는

먼저 부모님께서 자신의 부탁을 들어줄 수 있는지를 생각해 봐요.

그리고 부탁하는 까닭을 들어 자세하게 써요.

'~해 주세요.' 등의 높임말로 공손하게 쓰는 것도 잊지 말아요.

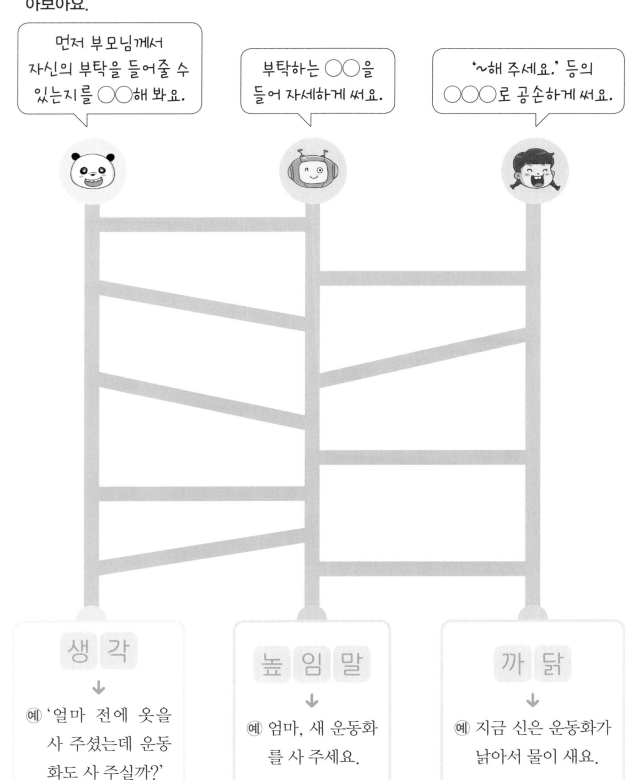

▶ 정답 및 해설 27쪽

◉ 사다리 타기를 하여 도착한 곳의 낱말을 따라 쓰며, 부모님께 부탁하는 글을 쓰는 방법을 알아보아요.

먼저 부모님께서 자신의 부탁을 들어줄 수 있는지를 ◯◯해 봐요.

부탁하는 ◯◯을 들어 자세하게 써요.

'∼해 주세요.' 등의 ◯◯◯로 공손하게 써요.

생 각
↓
㉰ '얼마 전에 옷을 사 주셨는데 운동화도 사 주실까?'

높 임 말
↓
㉰ 엄마, 새 운동화를 사 주세요.

까 닭
↓
㉰ 지금 신은 운동화가 낡아서 물이 새요.

 부모님께 부탁하는 글 쓰기

◉ 다음 글을 읽고, 세준이가 되어 아빠께 부탁하는 글을 쓰세요.

세준이의 꿈

내 꿈은 ▾비행사다. 어릴 때부터 비행기 장난감을 좋아했는데, 작년에 처음으로 비행기를 타 보고 비행사가 되어야겠다고 ▾결심했다.

무거운 비행기가 사람을 싣고 하늘을 나는 것이 신기하면서도 이해가 되진 않지만 나는 커서 꼭 비행사가 되고 싶다.

비행사가 되기 위해 어떻게 해야 하는지 이것저것 찾아보다가 ▾우연히 국립항공박물관이 있다는 것을 알게 되었다. 내 꿈을 위해 국립항공박물관에 가 보고 싶다.

와! 여러 가지 체험을 직접 해 보고 싶다. 아빠께 주말에 국립항공박물관에 가자고 부탁드려야겠다.

🐭 어휘 풀이

▾**비행사** | 날 비 飛, 다닐 행 行, 선비 사 士 | 일정한 자격을 지니고 면허를 받아서 항공기를 조종하는 일을 하는 사람. 예 비행사는 정말 멋있어.

▾**결심** | 결정할 결 決, 마음 심 心 | 할 일에 대하여 어떻게 하기로 마음을 굳게 정함. 또는 그런 마음. 예 앞으로 운동을 열심히 하겠다고 결심했다.

▾**우연히** 어떤 일이 뜻하지 않게 저절로 이루어져 공교롭게. 예 길에서 우연히 친구를 만났다.

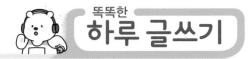
낱말 쓰기

1
단계

다음은 세준이가 부탁하는 글을 쓰게 된 상황을 정리한 것입니다. 빈칸에 알맞은 말을 쓰세요.

(1) 아빠와 [ㄱ][ㄹ][ㅎ][ㄱ]

[ㅂ][ㅁ][ㄱ] 에 가 보고 싶다.

(2) 여러 가지 [ㅊ][ㅎ] 을 직접 해 보고 싶다.

문장 쓰기

2
단계

세준이는 어떤 부탁하는 말을 해야 할지 빈칸에 들어갈 말을 **보기** 에서 찾아 쓰세요.

┌─ 보기 ─────────────────────────────────────┐

    함께 가요   국립항공박물관에

└──┘

아	빠	,		이	번	V	주	말	에	V
									V	
	V				.					

한 편 쓰기

3
단계

2에서 쓴 부탁하는 말에 어울리는 부탁하는 까닭을 **보기** 에서 골라 완성해 보세요.

┌─ 보기 ─────────────────────────────────────┐

  여러 가지 체험을 직접 해 보면 좋을 것   비행사예요

└──┘

아빠, 제 꿈은 _____. 제 꿈을 이루기 위해 국립

항공박물관에서 _____ 같아요.

1

따라 쓰기

잘 듣고, 따라 쓰세요.

❶ | 내 | V | 꿈 | 은 | V | 비 | 행 | 사 | 다 | . |

❷ | 하 | 늘 | 을 | V | 나 | 는 | V | 것 | |

2

낱말
받아쓰기

잘 듣고, 빈칸에 알맞은 낱말을 받아쓰세요.

❶ 선생님, [   ] 를 조금만 내 주세요.

❷ 아빠, [   ] 타는 방법을 알려 주세요.

3

문장
받아쓰기

잘 듣고, 그림에 알맞은 문장을 받아쓰세요.

| 엄 | 마 | , | | | | | V | |
| | V | | | V | | | | |

● 다음 그림을 보고, 하은이가 되어 엄마께 부탁하는 글을 한 편 써 보세요.

엄마께

사랑스러운 딸 하은 올림

 힌트 하은이가 엄마께 부탁하는 상황을 떠올려 보고,
부탁하는 말과 부탁하는 까닭을 생각해서
부탁하는 글 한 편을 써 보세요.

생활 어휘 다음 만화를 보며 속담의 뜻을 알아보고, 상황에 맞게 속담을 써 보세요.

바늘 가는 데 실 간다

속담의 뜻을 알아봐요!

바늘 가는 데 실 간다

이 속담은 바늘이 가는 데 실이 항상 뒤따르는 것처럼

"사람 사이의 관계가 매우 가깝다."라는 뜻을

바늘과 실에 빗대어 이르는 속담입니다.

이제 이 속담을 넣어 상황에 맞게 써 볼까요?

"□□□□□

□□"라는 속담처럼 나와 친구는

항상 같이 붙어 다닌다.

● 부모님께 자전거를 생일 선물로 받은 수혁이는 자전거를 타고 공원에 친구를 만나러 왔어요. 뜻에 맞는 낱말을 찾아 따라 쓰며 친구가 있는 곳까지 무사히 찾아가세요.

 창의 4주에 나왔던 **낱말과 그 뜻**을 익히며 친구가 있는 곳까지 가는 길을 찾아봅니다.

▶ 정답 및 해설 28쪽

◉ 교실 재활용 쓰레기 분류 당번인 희수가 친구들에게 부탁하는 글을 써서 지저분하던 교실
이 다시 깨끗해졌어요. 두 그림에서 다른 부분을 다섯 군데 찾아 ○표를 하세요.

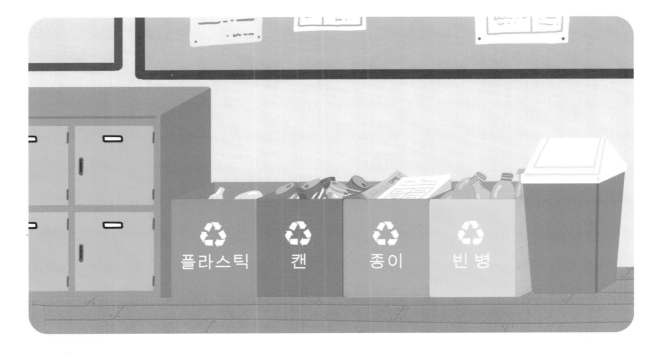

 창의   재활용 쓰레기 분류가 제대로 되었는지 생각하며 **그림에서 다른 부분을 모두** 찾아봅니다.

● 동물원에 가고 싶던 서윤이는 부모님과 함께 동물원에 왔어요. 서윤이가 본 동물 중 알을 낳
는 동물과 새끼를 낳는 동물을 각각 찾아 쓰세요.

 • 알을 낳는 동물: 비단뱀, 독수리, ☐ ☐

　　　　• 새끼를 낳는 동물: 사자, 코끼리, ☐ ☐ ☐

융합
국어+과학　동물원에서 볼 수 있는 동물을 **알을 낳는 동물**과 **새끼를 낳는 동물**로 구분해 봅니다.

● 국립항공박물관에 간 세준이가 게임의 코딩 명령에 따라 어떤 체험관에 도착했는지 쓰세요.

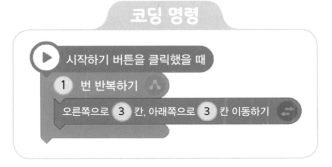

코딩 명령

▶ 시작하기 버튼을 클릭했을 때
1 번 반복하기
오른쪽으로 3 칸, 아래쪽으로 3 칸 이동하기

코딩 명령 풀이

세준이는 출발 지점에서 오른쪽으로 세 칸, 아래쪽으로 세 칸 이동합니다.

출발

어린이공항체험관

항공레포츠체험관

기내훈련체험관

 세준이가 도착한 체험관은 [ ][ ][ ][ ][ ] 입니다.

 코딩 **코딩 명령**에 따라 이동하여 **체험관을 찾아**가 봅니다.

1 다음은 어떤 글에 대한 설명인지 알맞은 것에 ◯표를 하세요.

> 누군가에게 부탁하고 싶은 것이 있을 때 부탁받는 사람의 마음을 생각하며 쓰는 글이다.

(사과하는 글 , 부탁하는 글)

글쓰기
2 다음 그림을 보고, 부탁하는 상황을 떠올려 빈칸에 알맞은 말을 쓰고 문장을 따라 쓰세요.

	생	일	V	선	물	로	V
			를	V	받	고	V
싶	다	.					

3 다음 그림을 보고, 부탁하는 상황을 떠올려 알맞게 쓴 것을 각각 선으로 이으세요.

(1) •

• ① 부모님께서 나와 동생을 차별하신다.

(2) •

• ② 친구가 자꾸 별명을 부른다.

4 그림의 상황에 맞는 부탁하는 말로 알맞은 것에 ◯표를 하세요.

(1) 쓰레기 분리배출을 잘해 주세요.

(   )

(2) 현관문에 광고지를 붙이지 마세요.

(   )

글쓰기
5 다음은 연주회에 다녀온 여자아이가 엄마께 부탁하는 말을 쓴 것입니다. 빈칸에 들어갈 알맞은 말을 쓰세요.

엄마, ☐☐☐☐ 을 배우게 해 주세요.

6 다음 빈칸에 알맞은 말을 보기 에서 골라 쓰세요.

보기

사람   까닭   순서

부탁하는 글을 쓸 때에는 부탁하는 말과 함께 왜 그런 부탁을 하는지 부탁하는 ☐☐ 을 자세히 써야 해요.

7 부탁하는 글에서 ㉠과 ㉡은 각각 무엇에 해당하는지 선으로 이으세요.

㉠아빠, 이번 주 토요일에 함께 산에 가요. ㉡산에 가면 기분이 상쾌하고 건강해지는 기분이 들어서 좋아요.

지수 올림

(1) ㉠ ·   · ① 부탁하는 말

(2) ㉡ ·   · ② 부탁하는 까닭

8 다음 부탁하는 말에 대한 부탁하는 까닭을 바르게 말한 친구의 이름을 쓰세요.

아빠, 새로 나온 게임기를 사 주세요.

서윤: 운동화도 함께 사 주세요.
희수: 심심할 때 동생과 재미있게 놀 수 있어요.

(   )

9 다음 글은 그림 속 여자아이가 부탁하는 글을 쓴 것입니다. ㉠을 높임말로 바르게 고쳐 쓰세요.

해찬아, 수업 시간에 말을 걸고 장난을 치지 말아 줘.
선생님 ㉠말을 잘 들을 수 없어.

하니가

말 → ☐☐

10 다음 그림을 보고, 부탁하는 상황을 떠올려 엄마께 부탁하는 글을 바르게 쓴 것에 ◯표를 하세요.

(1) 엄마, 새 옷을 사 주세요. 키가 자라서 옷이 다 작아졌어요.   (   )

(2) 엄마, 피아노 학원에 보내 주세요. 제 꿈이 피아니스트인데 피아노를 열심히 배워 보고 싶어요.   (   )

똑똑한 하루 글쓰기 한권 끝!

글쓰기 공부 하느라 수고했어요.
교재를 꾸준히 잘 풀었는지 돌아보고 ○표를 하세요.

약속한 사람 _____

첫째, 하루하루 빠짐없이 꾸준히 공부했나요?　　　　　　예　　아니요

둘째, 하루 글쓰기 문제를 끝까지 다 풀었나요?　　　　　예　　아니요

셋째, 또박또박 바르게 글씨를 썼나요?　　　　　　　　　예　　아니요

아쉽고 부족한 부분을 스스로 돌아보고,
다음 단계를 공부할 때에는 더 열심히 해 봐요!

그럼, 다음 책으로 고고!

앞선 생각으로
더 큰 미래를 제시하는 기업

서책형 교과서에서 디지털 교과서,
참고서를 넘어 빅데이터와 AI학습에 이르기까지
끝없는 변화와 혁신으로
대한민국 교육을 선도해 나갑니다.

milk T

닥터매쓰

geniA.

천재교육

똑똑한 하루 시/리/즈

✖ 쉽다!

10분이면 하루치 공부를 마칠 수 있는 커리큘럼으로, 아이들이 초등 학습에 쉽고 재미있게 접근할 수 있도록 구성하였습니다.

🎮 재미있다!

교과서는 물론 생활 속에서 쉽게 접할 수 있는 다양한 소재와 재미있는 게임 형식의 문제로 흥미로운 학습이 가능합니다.

📖 똑똑하다!

초등학생에게 꼭 필요한 학습 지식 습득은 물론 창의력 확장까지 가능한 교재로 올바른 공부습관을 가지는 데 도움을 줍니다.

과목	교재 구성	과목	교재 구성
하루 독해	예비초~6학년 각 A·B (14권)	하루 VOCA	3~6학년 각 A·B (8권)
하루 어휘	예비초~6학년 각 A·B (14권)	하루 Grammar	3~6학년 각 A·B (8권)
하루 글쓰기	예비초~6학년 각 A·B (14권)	하루 Reading	3~6학년 각 A·B (8권)
하루 한자	예비초: 예비초 A·B (2권) 1~6학년: 1A~4C (12권)	하루 Phonics	Starter A·B / 1A~3B (8권)
하루 수학	1~6학년 1·2학기 (12권)	하루 봄·여름·가을·겨울	1~2학년 각 2권 (8권)
하루 계산	예비초~6학년 각 A·B (14권)	하루 사회	3~6학년 1·2학기 (8권)
하루 도형	예비초~6학년 각 A·B (14권)	하루 과학	3~6학년 1·2학기 (8권)
하루 사고력	1~6학년 각 A·B (12권)	하루 안전	1~2학년 (2권)

※ 각 교재별 출간 시기는 조금씩 다르며, 일부 교재는 순차적으로 출시될 예정입니다.

2 단계
A
1~2학년

정답 및
해설

천재교육

정답 및 해설
포인트 3가지

▶ 혼자서도 이해할 수 있는 친절한 문제 풀이

▶ 문제 해결에 도움을 주는 '더 알아보기'와
  틀린 부분을 짚어 주는 '왜 틀렸을까?'

▶ 예시 답안과 단계별 채점 기준 제시로
  실전 서술형 문항 완벽 대비

똑 똑 한

하루
글쓰기

2단계 A
1~2학년

정답 및 해설

10~11쪽

1-1 (1) ○   **1-2** 편 지
2-1 (2) ○   **2-2** 첫 인 사

1-1 편지는 안부나 소식을 알리기 위하여 적어 보내는 글입니다.

【 왜 틀렸을까? 】
  그날 있었던 일 중에서 인상 깊었던 일과 그 일에 대한 생각이나 느낌을 쓴 글은 일기입니다.

1-2 두 친구는 안부를 묻거나 소식을 알리고 싶어 하고 있으므로 편지를 쓰면 됩니다.

2-1 편지를 시작하면서 상대의 안부를 묻는 인사말은 편지에 들어가야 하는 내용 중 '첫인사'에 해당합니다.

2-2 '받을 사람' 다음에 올 내용은 '첫인사'입니다. '첫인사' 부분에서는 상대의 안부를 묻고 있습니다.

① 일

13쪽

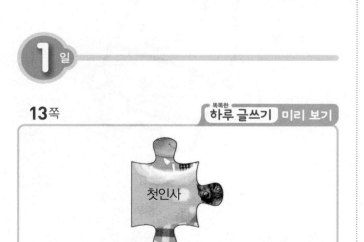

첫인사

14~15쪽

1 (1) 안녕, 그동안 잘 지냈니?
 (2) 요즘 날씨가 더웠는데 힘들지는 않았니?
2 ❶ 안녕, 그동안 잘 지냈니?
 ❷ 요즘 날씨가 더웠는데 힘들지는 않았니?

3

안	녕	,		그	동	안	V	잘	V
지	냈	니	?	V	요	즘	V	날	씨
가	V	더	웠	는	데	V	힘	들	지
는	V	않	았	니	?				

1 (1)의 빈칸에는 만났을 때 보통 하는 인사말인 '안녕'이 들어가야 어울리고, (2)의 빈칸에는 '날씨'가 들어가야 어울립니다.

2 첫인사에는 간단한 인사말이나 상대가 잘 지내고 있는지 안부를 묻는 인사말이 들어갑니다.

3 **2**에서 만든 문장을 차례대로 넣으면 간단한 인사와 함께 날씨를 통해 안부를 묻는 편지의 첫인사가 됩니다.

▮ 채점 기준
  첫인사를 맞춤법이나 띄어쓰기에 맞게 잘 썼으면 정답으로 합니다.

16쪽

1 ❶

편	지	를	V	썼	어	.

 ❷

정	말	V	미	안	해	.

2 ❶ 선생님, 안 녕 하 세 요 ?
 ❷ 겨울이 되니 몹시 추워졌는데, 건 강 히 잘 지내고 계세요?

3

눈	이	V	많	이	V	내	렸	는
데	V	너	는	V	괜	찮	니	?

17쪽

⑩ 시원아, 안녕? 날씨가 몹시 추워졌는데 건강히 잘 지내고 있니?
⑩ 시원아, 네가 전학 간 지도 시간이 꽤 지났구나. 잘 지냈니?

○ 간단한 인사말이나 잘 지내고 있는지 안부를 묻는 인사말로 편지의 첫인사 부분을 써 봅니다.

채점 기준

구분	답안 내용	
평가 기준	간단한 인사나 안부를 묻는 말을 넣어 자연스럽게 첫인사를 썼습니다.	상
	간단한 인사나 안부를 묻는 말을 넣어 첫인사를 썼지만, 표현이 어색한 부분이 있습니다.	중
	간단한 인사나 안부를 묻는 말이 없거나 그림 속 상황과 어울리지 않는 인사말을 썼습니다.	하

2일

19쪽 　똑똑한 하루 글쓰기 미리 보기

- 전하고 싶은 말을 쓸 때에는 편지를 쓴 까닭이 잘 드러나게 써요.
- 무슨 일 때문에 편지를 썼는지 받을 사람이 정확하게 알 수 있도록 써요.
- 전하고 싶은 말을 분명하고 알기 쉽게 써요.

20~21쪽 　똑똑한 하루 글쓰기

1 (1) 아라는 반찬을 남긴 일 때문에 영양사 선생님께서 실망하실까 봐 편지를 쓰기로 하였다.

　(2) 아라는 호두를 먹으면 몸에 두드러기가 난다.

2 ❶ 오늘 제가 반찬을 남긴 일 때문에 영양사 선생님께서 실망하실까 봐 편지를 쓰기로 했어요.

　❷ 저는 호두를 먹으면 몸에 두드러기가 나요.

3 예 오늘 제가 반찬을 남긴 일 때문에 영양사 선생님께서 실망하실까 봐 편지를 쓰기로 했어요. 저는 호두를 먹으면 몸에 두드러기가 나요. 그래서 호두가 들어간 반찬을 남긴 거예요.

1~2 아라는 영양사 선생님께서 자신에게 실망하실까 봐 걱정하였습니다. 아라는 호두를 먹으면 몸에 두드러기가 나기 때문에 반찬을 남겼습니다.

3 아라는 반찬을 남긴 일 때문에 영양사 선생님께서 실망하실까 봐 걱정되었습니다. 그래서 편지로 호두가 들어간 반찬을 남긴 까닭을 설명하려고 하였습니다.

채점 기준

아라가 영양사 선생님께 편지를 쓴 까닭이 잘 드러나도록 전하고 싶은 말을 썼으면 정답으로 합니다.

22쪽 　똑똑한 하루 글쓰기 받아쓰기

1 ❶ 골고루 ∨ 먹어야지.

　❷ 부끄럽고 ∨ 죄송해서

2 ❶ 다음 주에 할아버지 댁에 놀러 갈게요.

　❷ 생일잔치를 하고 싶어요.

3 너와 ∨ 화해하고 ∨ 싶어서 ∨ 편지를 ∨ 썼어.

23쪽 　똑똑한 하루 글쓰기 마무리

예
주	말	에		가	족		모	두	
함	께		여	행	을		가	면	
좋	겠	어	요	.					

예
저	희		반		연	극		공	연
에		꼭		와		주	시	면	
좋	겠	어	요	.					

예
장	난	감	을			함	께		조	립
해		주	세	요	.		혼	자	서	는
너	무		어	려	워	요	.			

◉ 아빠께서 부탁을 정확하게 이해하실 수 있도록 전하는 말을 분명하고 알기 쉽게 써야 합니다.

채점 기준

구분	답안 내용	
평가 기준	전하고 싶은 말이 무엇인지 분명하고 알기 쉽게 썼습니다.	상
	전하고 싶은 말이 무엇인지 썼지만, 높임말이나 맞춤법이 어색한 부분이 있습니다.	중
	전하고 싶은 말이 무엇인지 잘 드러나지 않게 썼습니다.	하

3일

25쪽 — 똑똑한 하루 글쓰기 미리 보기

❶ 고 마 워
❷ 미 안 해
❸ 사 랑 해 요

26~27쪽 — 똑똑한 하루 글쓰기

1 재호는 [축][하][해] 주고 싶은 마음이 들었다.

2 ❶ 내가 편지를 쓴 것은 [축][하][하][는] [마][음]을 전하고 싶어서야.

❷ 글쓰기 대회에서 상 받은 것을 [정][말] [축][하][해].

3 ⓔ 내가 편지를 쓴 것은 축하하는 마음을 전하고 싶어서야. 글쓰기 대회에서 상 받은 것을 정말 축하해.

1 재호는 글쓰기 대회에서 상을 받은 석진이를 축하해 주고 싶었을 것입니다.

2 재호가 석진이에게 보내는 편지에서 전하고 싶은 마음은 '축하하는 마음'일 것이고, 축하하는 마음을 잘 전할 수 있는 말은 '정말 축하해'입니다.

〔 더 알아보기 〕

축하하는 마음을 전하는 말 ⓔ

· 네가 상을 받아서 기뻐. 정말 축하해.

· 정말 대단해! 네가 잘 해내서 나도 기뻐.

· 형, 대학에 합격한 것을 축하해.

3 2에서 만든 문장만 이어 쓸 수도 있고, 축하하는 마음이 드러나도록 다른 말을 덧붙여 쓸 수도 있습니다.

채점 기준

글쓰기 대회에서 상을 받은 석진이를 축하하는 마음이 잘 드러나도록 썼으면 정답으로 합니다.

28쪽 — 똑똑한 하루 글쓰기 받아쓰기

1 ❶ | | 발 | 을 | V | 밟 | 았 | 던 | V | 일 |

❷ | | 며 | 칠 | V | 전 | 에 |

2 ❶ 선생님께 | 감 | 사 | 한 | 마음을 전하고 싶었어요.

❷ 네게 | 심 | 술 | 을 | 부려서 정말 미안해.

3 | | 엄 | 마 | , | 아 | 빠 | , | 정 | 말 | V |
| 사 | 랑 | 해 | 요 | . |

29쪽 — 똑똑한 하루 글쓰기 마무리

ⓔ
	오	늘	은		고	마	운		마
음	을		전	하	려	고		편	지
를		썼	어	.		내		가	장
친	한		친	구	가		되	어	
줘	서		고	마	워	.

ⓔ
	오	늘	은		고	마	운		마
음	을		전	하	려	고		편	지
를		썼	어	.		항	상		내
질	문	에		웃	으	며		대	답
해		줘	서		고	마	워	.

ⓔ
	오	늘	은		고	마	운		마
음	을		전	하	려	고		편	지
를		썼	어	.		미	술		시	간
에		준	비	물	을		빌	려	줘
서		정	말		고	마	웠	어	.

◯ 제시된 문장이 아닌 자신의 고마웠던 경험을 써도 정답으로 인정합니다.

〔 더 알아보기 〕

고마운 마음을 전하는 말 ⓔ

· 항상 도와주셔서 정말 감사합니다.

· 준비물을 빌려주다니 넌 참 친절한 것 같아.

· 짐을 들고 가던 나를 도와준 일을 잊지 않을게.

채점 기준

구분	답안 내용	
평가 기준	고마운 마음이 드러난 문장을 알맞게 썼습니다.	상
	고마운 마음이 드러난 문장을 썼지만, 띄어쓰기나 맞춤법이 틀린 부분이 있습니다.	중
	문장을 골라 쓰지 않고 다른 내용을 썼는데, 고마운 마음이 잘 드러나지 않습니다.	하

4일

31쪽 (똑똑한 하루 글쓰기 미리 보기)

32~33쪽 (똑똑한 하루 글쓰기)

1 (1) 할아버지, 아프지 말고 오래오래 [건][강]하시기를 바랄게요.
(2) 친구야, 너에게 항상 [행][복][한] 일들만 가득하기를 바랄게.

2 ❶ 할아버지, 아프지 말고 [오][래][오][래] [건][강][하][시][기][를] [바][랄][게][요].
❷ 친구야, 너에게 항상 [행][복][한] [일][들][만] [가][득]하기를 바랄게.

1 (1)에서 밤톨이는 할아버지께서 건강하시기를 바라는 마음을 담아 끝인사를 썼고, (2)에서는 친구가 행복하기를 바라는 마음을 담아 끝인사를 썼습니다.

2 **1**에서 쓴 인사말을 넣어 상대가 건강하고 행복하기를 바라는 마음을 담은 끝인사를 완성해 봅니다.

34쪽 (똑똑한 하루 글쓰기 받아쓰기)

1 ❶ 손 자 ∨ 올 림
❷ 친 구 ∨ 밤 톨 ∨ 씀

2 ❶ 다음에 꼭 다시 [만][나][자].
❷ [즐][거][운] 일들만 가득하기를 빌게.

3 안 녕 , 네 ∨ 답 장 을 ∨ 기 다 릴 게 .

35쪽 (똑똑한 하루 글쓰기 마무리)

예 할 머 니 , 건 강 히 오 래 오 래 사 셔 야 해 요 .

○ 끝인사를 쓸 때 받는 사람의 건강이나 행복을 바라는 마음을 담아 쓸 수도 있고, 다음 만남이나 편지를 약속할 수도 있고, 받을 사람이 들으면 기분 좋을 말을 끝인사로 쓸 수도 있습니다.

더 알아보기

- **받을 사람이 건강하기를 바라는 인사말 쓰기** 예
  친구야, 항상 건강해야 해!
- **받을 사람이 행복하기를 바라는 인사말 쓰기** 예
  선생님께서 항상 행복하시기를 바랄게요.
- **받을 사람에게 다음 만남이나 편지를 약속하는 인사말 쓰기** 예
  준호야, 다음에 꼭 다시 만나자!
- **받을 사람이 들으면 기분 좋을 인사말 쓰기** 예
  항상 자랑스러운 딸이 될 수 있도록 노력할게요. 사랑해요.

채점 기준

구분	답안 내용	
평가 기준	네 가지 끝인사를 쓰는 방법 중에서 한 가지를 골라 끝인사를 알맞게 썼습니다.	상
	네 가지 끝인사를 쓰는 방법 중에서 한 가지를 골라 끝인사를 썼지만, 끝인사에 어울리지 않는 표현이 있습니다.	중
	끝인사에 어울리는 인사말이 없거나 '안녕'처럼 간단한 인사말만 썼습니다.	하

5일

37쪽 ^{똑똑한} **하루 글쓰기** 미리 보기

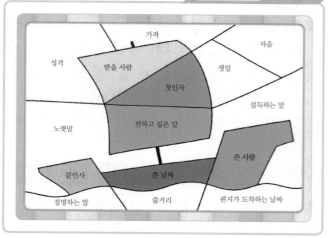

40쪽 ^{똑똑한} **하루 글쓰기** 받아쓰기

1 ❶ | |추|억|이|∨|떠|올|랐|어|요|.|

❷ | |함|께|∨|놀|아|∨|주|세|요|.|

2 ❶ 병원에 |입|원| 했다고 들었는데 좀 괜찮아졌니?

❷ 사랑하는 아들 기찬 |올|림|

3 | |지|난|번|에|∨|도|와|줘|서|∨|

|정|말|∨|고|마|웠|어|.| | | |

38~39쪽 ^{똑똑한} **하루 글쓰기**

1 할아버지, 안녕하세요? 저 기찬이 친구 달래예요. |눈|이 많이 내렸는데 잘 지내고 계세요?

2 ❶ 썰매 타기랑 연날리기 같은 즐거운 놀이를 알려 주셔서 |정|말| |감|사|해|요|.

❷ 다음 주말에 기찬이랑 함께 할아버지 댁에 또 |놀|러| |갈|게|요|.

3 예 | |항|상| |감|기| | |조|심|하|
|시|고| |안|녕|히| | |계|세|요|.|

예 | |할|아|버|지|,| |무|척| | |보|
|고| |싶|어|요|.| |안|녕|히| |
|계|세|요|.| | | | | | | |

1 달래는 눈이 많이 내렸는데 할아버지께서는 잘 지내고 계신지 안부를 여쭈었습니다.

2 달래는 즐거운 놀이를 알려 주신 할아버지께 감사한 마음을 표현할 것입니다. 그리고 기찬이와 함께 또 놀러 가겠다는 말을 전할 것입니다.

3 할아버지께서 잘 지내시기를 바라는 마음을 담아 끝인사를 씁니다.

41쪽 ^{똑똑한} **하루 글쓰기** 마무리

예 달래에게

달래야, 안녕? 날씨가 추워지면서 감기가 유행이래. 너는 잘 지내지?

네가 푸른 자연 그리기 대회에서 우수상을 받았다는 말을 듣고 축하해 주고 싶어서 편지를 썼어. 정말 축하해. 네가 내 친구라서 정말 자랑스러워. 앞으로도 좋은 그림을 그려서 화가가 되고 싶다는 꿈을 이루길 바랄게.

앞으로도 좋은 일들만 가득하기를 빌게. 안녕.

20○○년 4월 20일

친구 밤톨이가

○ '받을 사람 – 첫인사 – 전하고 싶은 말 – 끝인사 – 쓴 날짜 – 쓴 사람'의 순서대로 편지를 쓰고, 다 쓴 후에는 빠진 내용이 없는지 확인해 봅니다.

채점 기준		
구분	답안 내용	
평가 기준	빠진 내용 없이 각 부분에 알맞은 내용으로 편지를 잘 썼습니다.	상
	빠진 내용 없이 편지를 썼지만 어색한 표현이 있습니다.	중
	편지에 들어가야 하는 내용 중 일부를 빠뜨리고 편지를 썼습니다.	하

특강

똑똑한 **하루** 창의·융합·코딩

43쪽

소문난 장난꾸러기인 오빠에게 나는 항상 골 탕 을 먹 는 다 .

44쪽

○ '어떤 사람이 편안하게 잘 지내고 있는지 그렇지 않은지 인사로 그것을 전하거나 묻는 일.'이라는 뜻의 낱말은 '안부', '아랫사람이 윗사람에게 편지나 선물을 보낼 때 보내는 사람의 이름 다음에 쓰는 말.'이라는 뜻의 낱말은 '올림', '아이들이 얼음판이나 눈 위에서 미끄럼을 타고 노는 기구.'라는 뜻의 낱말은 '썰매'입니다.

45쪽

 옛날에는 전쟁이나 질병, 굶주림 등으로 다치거나 죽는 사람이 많았기 때문에 밤새 아무 탈 없이 편 안 했는지를 묻는 인사말을 쓰게 되었습니다.

○ 만화의 마지막 장면에서 두 사람의 대화를 통해 '안녕하세요'라는 인사말이 밤새 아무 탈 없이 편안했는지를 묻는 인사말임을 알 수 있습니다.

〔 더 알아보기 〕

안녕하다: 몸이 건강하고 마음이 편안하다. 안부를 전하거나 물을 때에 씀.

46쪽

 해 님 과 친구가 되렴. 인도를 사랑하는 마음도, 세상을 살아가는 일도 해 님 처럼 밝고 떳떳해야 한단다.

○ ◉ ♠ 를 표에서 찾으면 '해님'이 됩니다. 네루는 이처럼 감옥에서 쓴 196통의 편지를 통해 사랑하는 딸에게 세계사와 세상을 보는 안목을 가르쳤습니다.

〔 더 알아보기 〕

자와할랄 네루(1889~1964)

인도의 명문 가문에서 태어나 영국에서 공부하여 변호사가 되었고, 1919년부터 간디와 함께 인도 독립을 위한 투쟁에 나섰습니다. 인도 독립 후에는 초대 총리를 지냈습니다.

47쪽

 우체부 아저씨께서는 할 머 니 께 편지를 전달하셨어요.

○ 출발 지점인 우체국에서부터 코딩 명령을 따라가면 다음 그림처럼 할머니께 도착해 편지를 전하게 됩니다.

평가 누구나 **100점** 테스트

48~49쪽

1 편지   2 ①
3 (1) ○   4 영양사 선생님
5 오늘 제가 반찬을 남긴 일 때문에 영양사 선생님께서 실망
  하실까 봐 편지를 쓰기로 했어요. 저는 호두를 먹으면
  몸에 두드러기가 나요. 그래서 반찬을 남긴 거예요.
6 며칠
7

	글	쓰	기	∨	대	회	에
서	∨	상	∨	받	은	∨	것
을	∨	정	말	∨	축	하	해 !

8 준후   9 올림
10 기찬이가 할아버지께 쓴 편지이다.

1 달래는 시골에 사시는 할머니께 소식도 전하고 안부
도 여쭐 수 있는 글을 써야 합니다. 이럴 때에는 안
부나 소식을 알리기 위하여 적어 보내는 글인 편지
를 쓰는 것이 알맞습니다.

  (왜 틀렸을까?)
    '안내문'은 어떤 내용을 소개하여 알려 주는 글입니다.

2 편지에 들어가는 내용은 '받을 사람 – 첫인사 – 전하
고 싶은 말 – 끝인사 – 쓴 날짜 – 쓴 사람'입니다.

3 편지의 첫인사로 알맞은 것은 간단한 인사와 함께
친구의 안부를 묻고 있는 (1)입니다.

  (왜 틀렸을까?)
    (2)는 사과하는 편지의 '전하고 싶은 말' 부분에 들어갈
  내용입니다.

4 아라는 자신이 반찬을 남긴 일 때문에 영양사 선생
님께서 실망하실까 봐 영양사 선생님께 편지를 쓰기
로 하였습니다. 그러므로 편지의 '받을 사람' 부분에
들어갈 사람은 '영양사 선생님'입니다.

5 아라는 호두를 먹으면 몸에 두드러기가 나기 때문에
반찬을 남긴 거라는 사실을 영양사 선생님께 전하고
자 편지를 쓴 것입니다.

6 '그달의 몇째 되는 날.' 또는 '몇 날.'의 뜻을 가진 낱
말은 '며칠'로 씁니다. '몇 일'로 헷갈리는 경우가 많
지만 '몇 일'로 적는 경우는 없으므로 헷갈리지 않도
록 주의해야 합니다.

7 상을 받은 친구에게 마음을 전하는 말로 어울리는
것은 '축하해'입니다.

8 끝인사에는 편지를 받을 사람이 잘 지내기를 바라는
말을 쓰면 됩니다. 편지를 받을 사람의 행복이나 건강
을 바라는 말, 다음 만남이나 편지를 약속하는 말, 받
을 사람이 들으면 기분 좋은 말 등을 쓰면 좋습니다.

9 웃어른에게 편지를 쓸 때에는 '○○ 올림'이라고 씁
니다. '씀'은 친구나 동생 등에게 편지를 쓸 때 쓴 사
람의 이름 뒤에 붙이는 말입니다.

  (더 알아보기)
  쓴 사람 뒤에 붙이는 말 더 알아보기
    친구나 동생 등에게 편지를 쓸 때에는 쓴 사람의 이름
  뒤에 '씀, 보냄' 등의 말을 씁니다. 그리고 부모님이나 선생
  님 등 웃어른께 편지를 쓸 때에는 쓴 사람의 이름 뒤에 '올
  림, 드림' 등의 말을 씁니다.

10 이 편지는 기찬이가 할아버지께 쓴 편지입니다. 편
지를 쓴 사람은 편지 가장 마지막 부분에서, 편지를
받을 사람은 편지의 가장 처음 부분에서 알 수 있습
니다.

한 주 동안
수고했어요!

52~53쪽   이번 주에는 무엇을 공부할까? ❷

1-1 (3) ○   1-2 맛

2-1 (3) ○   2-2 질 문

1-1 물건을 소개할 때에는 물건의 모양, 색깔과 같은 물건의 특징을 설명하는 내용을 써야 합니다.

1-2 주어진 글에서는 장난감의 모양과 색깔을 소개하였습니다. 장난감은 먹을 수 없는 물건이므로 맛은 소개하지 않았습니다.

2-1 다섯 고개 놀이를 할 때에는 다섯 번의 질문과 대답을 합니다.

2-2 '스스로 움직이지 못하나요?', '네모 모양인가요?', '물에 쉽게 젖나요?', '종이로 만들어져 있나요?', '글씨를 적어 둘 수 있나요?'는 질문입니다.

1일

55쪽   똑똑한 하루 글쓰기 **미리 보기**

 – 모양,   – 색깔,   – 소리

56~57쪽   똑똑한 하루 글쓰기

1 (1) 동그란 모양이다.

    (2) 테두리가 검은색이다.

    (3) 째깍째깍 하는 소리가 난다.

2 ❶ 동 그 란 ∨ 모 양 이 다 .

   ❷ 테 두 리 가 ∨ 검 은 색 이 다 .

   ❸ 째 깍 째 깍 ∨ 하 는 ∨ 소 리 가 ∨ 난 다 .

1 (1) 시계는 동그란 모양입니다.

    (2) 시계의 테두리는 검은색입니다.

    (3) 시계에서는 째깍째깍 하는 소리가 납니다.

┌─ **더 알아보기** ─┐

'째깍째깍'은 시계 따위의 톱니바퀴가 자꾸 돌아가는 소리를 뜻합니다.

2 **1**에서 쓴 문장을 넣어 시계의 특징을 설명하는 문장을 완성해 봅니다.

채점 기준

시계의 모양, 색깔, 소리에 대해 설명하는 내용을 알맞게 썼으면 정답입니다.

58쪽   똑똑한 하루 글쓰기 **받아쓰기**

1 ❶ 물 건 의 ∨ 특 징

   ❷ 소 리 가 ∨ 난 다 .

2 ❶ 리코더는 기 다 란 모양이다.

   ❷ 교실의 리코더는 노 란 색 이다.

3 리 코 더 는 ∨ 삘 리 리 ∨ 부 는 ∨ 소 리 가 ∨ 난 다 .

59쪽   똑똑한 하루 글쓰기 **마무리**

❶ 예   조 개   모 양 이 다 .

❷ 예   옅 은   갈 색 이 다 .

❸ 예   딱 딱   하 는   소 리 가   난 다 .

◉ **❶**에는 캐스터네츠의 모양을, **❷**에는 캐스터네츠의 색깔을, **❸**에는 캐스터네츠를 칠 때 나는 소리를 설명하는 문장을 써야 합니다.

채점 기준

구분	답안 내용	
평가 기준	캐스터네츠의 모양, 색깔, 소리를 설명하는 문장을 모두 알맞게 썼습니다.	상
	캐스터네츠의 모양, 색깔, 소리를 설명하는 문장 중 두 가지만 알맞게 썼습니다.	중
	캐스터네츠의 모양, 색깔, 소리를 설명하는 문장 중 한 가지만 알맞게 썼습니다.	하

2일

61쪽 똑똑한 하루 글쓰기 미리 보기

62~63쪽 똑똑한 하루 글쓰기

1 (1) 홍시에서는 달콤한 냄새가 납니다.
   (2) 홍시를 먹으면 단맛이 납니다.
   (3) 홍시를 손으로 만지면 물렁물렁합니다. 물렁물렁한 느낌은 매우 보들보들하여 연하고 부드러운 느낌을 말합니다.

【 더 알아보기 】

다양한 감의 종류

홍시	물렁하게 잘 익은 감.
단감	단단한 감.
땡감	덜 익어 맛이 거세고 텁텁한 감.
곶감	껍질을 벗기고 꼬챙이에 꿰어서 말린 감.

2 ❶에는 홍시의 냄새와 맛을 설명하는 문장을 쓰고, ❷에는 홍시를 만졌을 때의 느낌을 설명하는 내용을 씁니다.

【 더 알아보기 】

홍시의 다른 특징 알아보기

모양	둥글넓적한 모양으로 꼭지가 있습니다.
색깔	붉은색입니다.

3 2에서 쓴 문장을 넣어 홍시의 특징에 대해 설명하는 글을 써 봅니다.

채점 기준
홍시의 냄새와 맛, 만진 느낌을 설명하는 내용을 모두 넣어 알맞게 썼으면 정답입니다.

64쪽 똑똑한 하루 글쓰기 받아쓰기

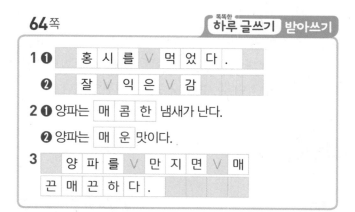

65쪽 똑똑한 하루 글쓰기 마무리

❶ 예 상큼한 냄새와 새콤달콤한 맛이 난다.
❷ 예 말랑말랑하다.

● ❶에는 귤의 냄새를 맡아 보고, 귤을 맛보았을 때의 느낌을 생각하여 설명하는 문장을 씁니다. ❷에는 귤을 만져 보았을 때의 느낌을 생각하여 설명하는 문장을 씁니다.

채점 기준

구분	답안 내용	
평가 기준	귤의 냄새와 맛, 귤을 만진 느낌을 설명하는 말을 모두 알맞게 썼습니다.	상
	귤의 냄새와 맛, 귤을 만진 느낌을 설명하는 말 중 두 가지만 알맞게 썼습니다.	중
	귤의 냄새와 맛, 귤을 만진 느낌을 설명하는 말 중 한 가지만 알맞게 썼습니다.	하

3일

68~69쪽 똑똑한 하루 글쓰기

1 (1) 나비를 잡을 때 쓴다.
　(2) 잠자리를 잡을 때 쓴다.
2 곤충망은 나비와 잠자리를 잡을 때 쓴다.
3 예 나비와 잠자리를 잡을 때 쓴다.

1 (1) 곤충망은 나비를 잡을 때 쓰는 물건입니다.
　(2) 곤충망은 잠자리를 잡을 때 쓰는 물건입니다.

2 1에서 쓴 문장을 한 문장으로 다시 써 봅니다.

> **⎰ 더 알아보기 ⎱**
> **두 문장을 한 문장으로 정리할 때 주의할 점**
> 　두 문장을 한 문장으로 정리할 때 같은 내용이 있으면 한 번만 써서 정리해야 합니다.
>
> > • 나비를 잡을 때 쓴다.　　→　나비와 잠자리를
> > • 잠자리를 잡을 때 쓴다.　　　　잡을 때 쓴다.
>
> '나비를 잡을 때 쓴다.'와 '잠자리를 잡을 때 쓴다.'에서 '잡을 때 쓴다.'가 같은 내용이므로, '나비와 잠자리를 잡을 때 쓴다.'와 같이 정리할 수 있습니다.

3 2에서 쓴 문장을 넣어 곤충망의 쓰임에 대해 설명하는 내용을 씁니다.

> **채점 기준**
> 　곤충망은 무엇을 할 때 쓰는지 설명하는 내용을 알맞게 썼으면 정답입니다.

70쪽 똑똑한 하루 글쓰기 받아쓰기

1 ❶ 잠 자 리 를 ∨ 잡 다 .
　❷ 개 미 가 ∨ 너 무 ∨ 작 아 .
2 ❶ 어두워서 환 하 게 보고 싶다.
　❷ 손 전 등 으로 어둠을 밝힐 수 있다.
3 　망 원 경 은 ∨ 먼 ∨ 곳 을 ∨
볼 ∨ 때 ∨ 쓴 다 .

71쪽 똑똑한 하루 글쓰기 마무리

❶ 예 　돋 보 기 는 　물 건 을
크 게 　볼 　때 　쓴 다 .
❷ 예 　카 메 라 는 　사 진 을
찍 을 　때 　쓴 다 .

○ ❶에는 돋보기의 쓰임을 설명하는 문장을 써야 합니다. 돋보기는 작은 것을 크게 보이도록 가운데를 볼록하게 만든 렌즈입니다. 따라서 돋보기는 물건을 크게 볼 때 씁니다. ❷에는 카메라의 쓰임을 설명하는 문장을 써야 합니다. 카메라는 사진을 찍는 기계입니다. 따라서 카메라는 사진을 찍을 때 씁니다.

채점 기준

구분	답안 내용	
평가 기준	❶에는 '물건을 크게 볼 때'라는 말을 넣어 돋보기의 쓰임을 설명하는 문장을 알맞게 썼고, ❷에는 '사진을 찍을 때'라는 말을 넣어 카메라의 쓰임을 설명하는 문장을 알맞게 썼습니다.	상
	❶에는 '물건을 크게 볼 때'라는 말을 넣어 돋보기의 쓰임을 설명하는 문장을 썼고, ❷에는 '사진을 찍을 때'라는 말을 넣어 카메라의 쓰임을 설명하는 문장을 썼지만, 문장을 자연스럽게 쓰지 못하였거나 틀린 글자가 있습니다.	중
	❶과 ❷ 중 한 곳에만 쓰임을 설명하는 문장을 썼습니다.	하

4일

73쪽 — 똑똑한 하루 글쓰기 미리 보기

 - 특 징, - 확 인, - 보 충

74~75쪽 — 똑똑한 하루 글쓰기

1 (1) 길 쭉 한 모양이다.

(2) 이 를 닦 을 때 쓴다.

2 ❶ 예 예, 길쭉한 모양입니다.

❷ 예 아니요, 이를 닦을 때 씁니다.

1 (1) 칫솔은 길쭉한 모양입니다. '길쭉하다'는 '조금 길다.'라는 뜻입니다.

(2) 칫솔은 이를 닦을 때 씁니다.

┌─ 더 알아보기 ─┐

칫솔과 모양은 비슷하지만 쓰임이 다른 물건 떠올려 설명하기

- 연필은 칫솔처럼 길쭉한 모양입니다.
- 칫솔은 이를 닦을 때 쓰지만, 연필은 글씨를 쓸 때 씁니다.

2 **1**에서 쓴 문장을 넣어 다섯 고개 놀이의 대답을 써 봅니다. 네 번째 질문은 '길쭉한 모양인가요?'입니다. 칫솔은 길쭉한 모양이므로, '예, 길쭉한 모양입니다.'라고 대답해야 합니다. 다섯 번째 질문은 '손을 닦을 때 쓰나요?'입니다. 칫솔은 손을 닦을 때 쓰는 물건이 아니라 이를 닦을 때 쓰는 물건이므로 '아니요, 이를 닦을 때 씁니다.'라고 대답해야 합니다.

채점 기준

다섯 고개 놀이의 특징을 생각하며 네 번째 질문과 다섯 번째 질문에 대답하는 말을 알맞게 썼으면 정답입니다.

76쪽 — 똑똑한 하루 글쓰기 받아쓰기

1 ❶ 단 단 합 니 다 .

❷ 가 볍 습 니 다 .

2 ❶ 입 을 수 없는 물건이다.

❷ 네 모 난 모양이다.

3 옷 걸 이 는 ∨ 옷 을 ∨ 걸 어 ∨ 놓 을 ∨ 때 ∨ 쓴 다 .

77쪽 — 똑똑한 하루 글쓰기 마무리

❶ 예 소리가 나지 않습니다.

❷ 예 위가 뾰족한 고깔 모양입니다.

❸ 예 머리에 씁니다.

○ 다섯 개의 질문과 대답은 고깔모자의 특징과 관련되어 있습니다. 세 번째 질문은 '소리가 나나요?'입니다. 고깔모자에서는 소리가 나지 않으므로, '아니요.'라고 대답하고 '소리가 나지 않습니다.'라고 보충 설명을 해 주어야 합니다. 네 번째 질문은 '상자 모양인가요?'입니다. 고깔모자는 상자 모양이 아니므로, '아니요.'라고 대답하고, '위가 뾰족한 고깔 모양입니다.'라고 보충 설명을 해 주어야 합니다. 다섯 번째 질문은 '눈에 쓰나요?'입니다. 고깔모자는 눈에 쓰지 않으므로, '아니요.'라고 대답하고, '머리에 씁니다.'라고 보충 설명을 해 주어야 합니다.

채점 기준

구분	답안 내용	
평가 기준	❶에 소리가 나지 않는다는 내용, ❷에 위가 뾰족한 고깔 모양이라는 내용, ❸에 머리에 쓴다는 내용을 모두 알맞게 썼습니다.	상
	❶에 소리가 나지 않는다는 내용, ❷에 위가 뾰족한 고깔 모양이라는 내용, ❸에 머리에 쓴다는 내용 중 두 가지만 알맞게 썼습니다.	중
	❶에 소리가 나지 않는다는 내용, ❷에 위가 뾰족한 고깔 모양이라는 내용, ❸에 머리에 쓴다는 내용 중 한 가지만 알맞게 썼습니다.	하

해치는 새나 짐승 등을 막기 위하여 세웁니다.

3 **2**의 문장을 넣어 허수아비의 쓰임을 설명하는 글을 씁니다.

채점 기준
허수아비의 쓰임을 맞춤법과 띄어쓰기에 맞게 썼으면 정답입니다.

79쪽 똑똑한 하루 글쓰기 미리 보기

❶ 특징 ❷ 쓰임 ❸ 자세히

특	징	가	격
간	자	겪	저
단	세	쓰	임
감	히	개	자

80~81쪽 똑똑한 하루 글쓰기

1 막대기와 짚 등을 사용하여 사람 모양으로 만든다.
2 허수아비는 곡식을 해치는 새나 짐승 등을 막기 위하여 논밭에 세운다.
3 허수아비는 곡식을 해치는 새나 짐승 등을 막기 위하여 논밭에 세운다.

1 "막대기와 짚 등을 사용하여 사람 모양으로 만든다."로 보아 허수아비는 막대기와 짚 등을 사용하여 사람 모양으로 만들었습니다.

《 더 알아보기 》
허수아비의 모습 살펴보기

• 몸통을 막대기로 만들었습니다.
• 머리카락과 손 부분을 짚으로 만들었습니다.
• 사람처럼 옷을 입히고 모자를 씌웠습니다.

2 "사람들은 나를 곡식을 해치는 새나 짐승 등을 막기 위하여 논밭에 세우지."로 보아 허수아비는 곡식을

82쪽 똑똑한 하루 글쓰기 받아쓰기

1 ❶ 여행을 다녀왔다.
❷ 신기한 허수아비
2 ❶ 저기 서 있는 물건은 뭐예요?
❷ 꼭 사람처럼 생겼어요.
3 막대기와 짚 등을 사용하여 만든다.

83쪽 똑똑한 하루 글쓰기 마무리

항아리는 위와 아래는 좁고 가운데가 넓은 그릇이다. 진흙으로 만들어서 갈색이다. 된장, 간장, 김치 등을 담가 두는 데에 쓴다.

○ 엄마께서 항아리의 모양과 색깔, 쓰임에 대해 설명해 주신 내용을 바탕으로 항아리를 소개하는 글을 완성해 봅니다. 항아리는 위와 아래는 좁고 가운데가 넓은 모양이고, 진흙으로 만들어서 갈색입니다. 또한, 항아리는 된장, 간장, 김치 등을 담가 두는 데에 씁니다.

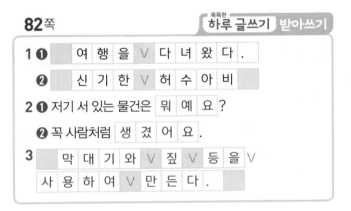

채점 기준

구분	답안 내용	
평가 기준	엄마의 말씀에서 항아리의 모양, 색깔, 쓰임을 설명하는 문장을 찾아 모두 알맞게 썼습니다.	상
	항아리의 모양, 색깔, 쓰임을 설명하는 문장을 썼으나, 자연스럽지 않거나 틀린 문장이 있습니다.	중
	항아리의 모양, 색깔, 쓰임을 설명하는 문장 중 한 가지만 알맞게 썼습니다.	하

특강 똑똑한 **하루** 창의·융합·코딩

85쪽

장난감 가격보다 고치는 가격이 더 비싸다니. "배 보다 배꼽이 더 크다"라는 말이 생각났어.

86쪽

(1) ❹ (2) ❸ (3) ❶ (4) ❷

○ ❶은 아이스크림으로 '입에 금방이라도 넣고 싶을 만큼 끌리는 단맛'은 '달콤한 맛'입니다. ❷는 고추로 '혀끝이 약간 아리고 쏘는 느낌의 맛'은 '매운맛'입니다. ❸은 귤로 '약간 신맛이 나면서도 단맛이 나서 맛있는 맛'은 '새콤달콤한 맛'입니다. ❹는 소금으로 '소금과 같은 맛'은 '짠맛'입니다. 사람들이 맛보고 있는 것과 그 맛을 바르게 찾으면 그림과 같이 됩니다.

87쪽

(1) 원 (2) 삼각형 (3) 사각형 (4) 원

○ (1) 그림 속 자전거 바퀴는 원 모양입니다.
(2) 사진 속 요트의 돛은 삼각형 모양입니다.
(3) 그림 속 칠판은 사각형 모양입니다.
(4) 사진 속 과자는 원 모양입니다.

88쪽

잠자리는 날아다니는 곤충이다. 두 개의 겹눈으로 여러 방향을 볼 수 있다. 네 개의 날개와 여섯 개의 다리가 있다.

○ 관찰 기록장의 내용을 보고 잠자리의 특징을 정리해 봅니다. 잠자리는 두 개의 겹눈, 네 개의 날개, 여섯 개의 다리가 있습니다.

89쪽

○ 딸기의 특징이 나타난 칸을 모두 지나 도착까지 가려면 오른쪽으로 1칸, 아래쪽으로 2칸, 오른쪽으로 2칸, 아래쪽으로 2칸을 가야 합니다.

평가   누구나 **100점** 테스트

90~91쪽

1 특징

2 | | 동 | 그 | 란 | ✔ | 모 |
| 양 | 이 | 다 | . | | |

3 색깔   4 수진

5 홍시는 | 달 | 콤 | 한 | 냄새가 난다.   6 (1) ②, (2) ①

7 | 돋 | 보 | 기 | 로 개미를 크게 볼 수 있다.

8 환하게   9 (1) ○

10 허수아비는 막대기와 짚 등을 사용하여 | 사 | 람 | 모양으로 만든다. 허수아비는 곡식을 해치는 새나 짐승 등을 | 막 | 기 | 위하여 논밭에 세운다.

1 물건을 소개하는 글을 쓸 때에는 물건의 모양, 색깔, 소리, 냄새, 맛, 만진 느낌, 쓰임과 같은 물건의 특징을 설명해야 합니다.

2 그림의 시계는 동그란 모양입니다.

3 '검은색'은 색깔을 나타내는 말이므로 시계의 특징 중 색깔을 설명하는 것임을 알 수 있습니다.

4 트라이앵글의 소리를 설명하라고 하였으므로 '트라이앵글은 댕 울리는 소리'가 난다고 한 수진이가 트라이앵글의 소리를 알맞게 설명한 친구입니다. 영우는 '트라이앵글은 세모난 모양'이라며 트라이앵글의 모양을 설명하고 있습니다.

5 글을 읽고, 홍시의 특징 중 냄새를 찾아 적는 문제입니다. 주어진 글에서는 홍시의 냄새는 달콤하다고 하였으므로 빈칸에 들어갈 말은 '달콤한'입니다.

6 '물컹물컹하다'는 두부를 만진 느낌입니다. '먹으면 담백하다'고 하였으므로 담백함은 두부의 맛입니다.

(더 알아보기)

• **물컹물컹하다** : 본래 모양을 유지하지 못할 정도로 매우 또는 여기저기가 물렁한 느낌.

㉮ 열매가 금방이라도 터질 듯 물컹물컹하다.

• **담백하다** : 음식이 느끼하지 않고 산뜻하다.

㉮ 삼계탕의 국물은 고소하고 담백하다.

7 기찬이는 "개미가 너무 작아 더 자세히 보고 싶어."라고 이야기하고 있습니다. 돋보기는 작은 물체를 크게 보이게 하여 자세히 들여다볼 때 쓰는 물건이므로, 기찬이에게 필요한 물건은 돋보기입니다.

(왜 틀렸을까?)

곤충망은 나비와 잠자리 같은 곤충을 잡을 때, 카메라는 사진을 찍을 때 쓰는 물건입니다.

8 '손전등으로 환하게 어둠을 밝힐 수 있다.'가 알맞게 쓰인 문장입니다. '환하게'는 소리도 '[환하게]'로 나는, 소리와 글자가 같은 낱말입니다.

9 스스로 움직이지 못하고, 네모 모양이고, 물에 쉽게 젖으며, 종이로 만들어져 있고, 글씨를 적어 둘 수 있는 것은 공책입니다.

(왜 틀렸을까?)

자는 스스로 움직이지 못하고, 네모 모양이지만, 글씨를 적어 둘 수 없습니다. 자의 다른 특징으로는 길쭉한 모양이고, 길이를 잴 때 쓴다는 것 등이 있습니다.

10 글에서 "사람 모양으로 만든다."라는 말과 "곡식을 해치는 새나 짐승 등을 막기 위하여 논밭에 세워 놓는 물건을 말하지."라는 말로 보았을 때 허수아비를 소개하는 글에는 허수아비는 '사람' 모양으로 만들며, 새나 짐승 등을 '막기' 위하여 논밭에 세워 놓는다는 내용이 오는 것이 알맞습니다.

한 주 동안 수고했어요~!

94~95쪽 이번 주에는 무엇을 공부할까? ❷

1-1 (2) ○   1-2 독서록
2-1 (1) ○   2-2 다양한 형식으로

1-1~1-2 독서록은 책을 읽고 나서 줄거리, 생각, 느낌 따위를 기록한 글입니다.

2-1~2-2 독서록은 다양한 형식으로 씁니다.

1일

97쪽 똑똑한 하루 글쓰기 미리 보기

❶ 독 서 록
❷ 모 습
❸ 성 격

성	부	모	두
격	자	습	더
퇴	원	수	지
독	서	록	구

98~99쪽 똑똑한 하루 글쓰기

1 (1) 흥부는 제비의 다친 다 리 를 치료해 주었다.
　(2) 흥부는 제비가 물어다 준 박씨를 심어 부 자 가 되었다.

2 마 음 씨 가 착 하 다 .

3
❶ 소개하는 말: 예 제비의 다친 다리를 치료해 주고 제비가 물어다 준 박씨를 심어 부자가 되었다.
❷ 성격: 예 마음씨가 착하다.

(흥부)

1 (1) 흥부는 제비의 다친 다리를 치료해 주었습니다.
　(2) 흥부는 "우리는 이제 부자로구나!"라고 말하였습니다.

2 제비의 다친 다리를 치료해 주는 것으로 보아, 흥부는 마음씨가 착한 성격입니다.

3 흥부의 모습을 상상하여 그린 다음, ❶에는 1에서 쓴 내용을 넣고 ❷에는 2에서 쓴 내용을 넣어 흥부의 인물 카드를 완성해 봅니다.

채점 기준

흥부의 모습을 상상하여 그리고 ❶에는 흥부가 한 일, ❷에는 흥부의 성격을 모두 알맞게 썼으면 정답으로 합니다.

100쪽 똑똑한 하루 글쓰기 받아쓰기

1 ❶ | 박 | 씨 | 를 | V | 심 | 었 | 어 | 요 | . |
　❷ | 쏟 | 아 | 져 | V | 나 | 왔 | 어 | 요 | . |

2 ❶ 흥부는 인정이 | 많 | 다 | . |
　❷ 놀부는 | 심 | 술 | 궂 | 다 | . |

3 | 구 | 렁 | 이 | 를 | V | 피 | 하 | 려 | 다 | V |
　| 다 | 리 | 가 | V | 부 | 러 | 졌 | 어 | 요 | . |

101쪽 똑똑한 하루 글쓰기 마무리

(놀부)

❶ 소개하는 말: 부자가 되려고
예 멀쩡한 제비 다리를 일부러 부러뜨리고 다시 치료해 주어서 도깨비에게 혼났다.
❷ 성격: 예 욕심이 많다.

◐ 놀부의 모습을 상상하여 그린 다음, ❶에는 놀부가 한 일을 넣어 소개하는 말을 쓰고 ❷에는 놀부의 성격에 알맞은 말을 써서 인물 카드를 완성해 봅니다.

구분	답안 내용	
채점 기준		
평가 기준	놀부의 모습을 상상하여 그리고 놀부가 한 일과 놀부의 성격을 모두 알맞게 썼습니다.	상
	놀부의 모습을 상상하여 그렸지만 놀부가 한 일, 놀부의 성격 중 한 가지만 알맞게 썼습니다.	중
	놀부의 모습을 상상하여 그렸지만 놀부가 한 일과 놀부의 성격 중 한 가지도 알맞게 쓰지 못하였습니다.	하

2일

103쪽 ┃ 똑똑한 **하루 글쓰기** 미리 보기

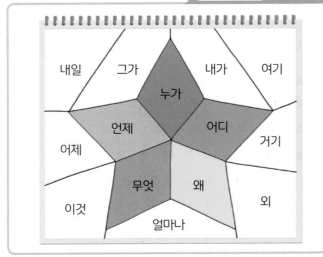

104~105쪽 ┃ 똑똑한 **하루 글쓰기**

1 (1) 벼슬아치들에게 돌로 만든 갓을 쓰게 했다.

(2) 사또가 어리다고 인사도 안 했기 때문이다.

2 ❶ 꼬마 사또가 벼슬아치들에게 돌로 만든 갓을
쓰게 했다.

❷ 사또가 어리다고 인사도 안 했기 때문이다.

3

새	로	∨	온	∨	꼬	마	∨	사
또	가	∨	벼	슬	아	치	들	에	게	∨
돌	로	∨	만	든	∨	갓	을	∨	쓰
게	∨	했	다	.	사	또	가	∨	어
리	다	고	∨	인	사	도	∨	안	∨
했	기	∨	때	문	이	다	.		

1 (1) 꼬마 사또가 한 일은 벼슬아치들에게 돌로 만든
갓을 쓰게 한 것입니다.

(2) 꼬마 사또가 벼슬아치들에게 돌로 만든 갓을 쓰
게 한 까닭은 벼슬아치들이 사또가 어리다고 인
사도 안 했기 때문입니다.

┏━━ 【 더 알아보기 】 ━━

「꼬마 사또」 이야기가 주는 교훈

• 나보다 어린 사람이라고 함부로 해서는 안 되고, 어린 사
람한테도 배울 점이 있습니다.

• 겉모습만으로 사람을 판단해서는 안 됩니다.

┗━━━━━━━━━━━━━━━

2 누가 무엇을 하였고, 왜 그렇게 하였는지 각각 문장
으로 정리해 씁니다.

3 이야기의 내용을 간추려 한 문단으로 씁니다.

┃ 채점 기준 ┃

꼬마 사또가 한 일과 그와 같이 한 까닭을 알맞게 간추
려 썼으면 정답입니다.

106쪽 ┃ 똑똑한 **하루 글쓰기** 받아쓰기

1 ❶

열	다	섯	∨	살	이	래	.

❷

내	게	∨	명	령	을	∨	해	?

2 ❶ 꼬마 사또를 하찮게 여겼다.

❷ 나쁜 버릇을 고쳐 주기로 마음먹었다.

3

무	거	운	∨	돌	로	∨	갓	을	∨
만	들	라	고	∨	명	령	했	다	.

107쪽 ┃ 똑똑한 **하루 글쓰기** 마무리

예		꼬	마		사	또	가		벼	슬
아	치	들	에	게			수	숫	대	를
부	러	뜨	리	지		말	고		소	
매		안	에		넣	으	라	고		
명	령	했	다	.						

◉ 꼬마 사또가 벼슬아치들에게 명령한 내용과 그 까닭
을 생각하여 내용을 간추려 봅니다.

┃ 채점 기준 ┃

구분	답안 내용	
평가 기준	꼬마 사또가 벼슬아치들에게 명령한 내용을 알맞게 간추려 썼습니다.	상
	꼬마 사또가 벼슬아치들에게 명령한 내용을 간추려 썼지만 맞춤법이나 원고지 쓰기에서 틀린 부분이 있습니다.	중
	꼬마 사또가 벼슬아치들에게 명령한 내용을 간추려 쓰지 못하고, '꼬마 사또가 벼슬아치들을 혼내 주었다.'나 '꼬마 사또가 화가 났다.'와 같은 내용을 썼습니다.	하

3일

109쪽 똑똑한 **하루 글쓰기** 미리 보기

❶ 등장인물
❷ 일
❸ 뒷이야기

110~111쪽 똑똑한 **하루 글쓰기**

1 (1) 자라는 토끼 똥 을 갖고 용궁으로 돌아왔어요.
　(2) 용왕은 병이 나아 자라에게 큰 벼 슬을 내렸어요.

2 ❶ 자라는 토 끼 똥 을 갖 고 용궁으로 돌아왔어요.
　❷ 용왕은 병이 나아 자라에게 큰 벼 슬 을 내 렸 어 요.

3

	자	라	는	∨	토	끼	∨	똥	을	∨
갖	고	∨	용	궁	으	로	∨	돌	아	
왔	어	요	.		이	것	을	∨	먹	고	∨
용	왕	은	∨	병	이	∨	나	아	∨	
자	라	에	게	∨	큰	∨	벼	슬	을	∨
내	렸	어	요	.						

1 (1) 그림에서 자라는 토끼 똥을 갖고 돌아왔다고 말하였습니다.
　(2) 그림에서 용왕은 병이 나았으니 자라에게 큰 벼슬을 내리겠다고 말하였습니다.

{ 더 알아보기 }
　옛날이야기는 사람들 사이에 전해 내려오면서 내용이 바뀌는 경우가 많습니다. 그래서 「토끼전」의 뒷이야기도 아주 다양합니다.

2 자라가 한 일과 자라에게 일어난 일을 두 문장으로 정리하여 씁니다.

3 「토끼전」의 뒷이야기를 상상하여 보고 한 문단으로 씁니다.

채점 기준
　토끼를 놓친 자라에게 어떤 일이 일어났을지 상상하여 알맞게 썼으면 정답으로 합니다.

112쪽 똑똑한 **하루 글쓰기** 받아쓰기

1 ❶

	이	런	∨	괘	씸	한	∨	놈	!

❷

	직	접	∨	보	시	겠	습	니	까	?

2 ❶ 이 어 리 석 은 자라야!
　❷ 어떤 동물이 간을 꺼 내 놓 고 산단 말이냐?

3

	남	의	∨	목	숨	도	∨	귀	한	∨
줄	∨	알	아	야	지	.				

113쪽 똑똑한 **하루 글쓰기** 마무리

예

	그	래	서		땅		위	에	
남	아		약	방	을		차	리	고
살	기	로		결	심	했	어	요	.

예

	그	래	서		다	른		토	끼
를		또	다	시		속	여		용
궁	으	로		데	려	갔	어	요	.

예

	그	래	서		땅		위	에	서
병	을		잘		고	친	다	는	
의	원	을		찾	아		용	궁	으
로		데	려	갔	어	요	.		

◉ 토끼를 놓친 자라가 어떻게 하였을지 상상한 다음, 자신의 상상과 비슷한 내용을 보기 에서 한 가지 골라 「토끼전」의 뒷이야기를 완성해 봅니다.

채점 기준

구분	답안 내용	
평가 기준	보기 의 내용 중 한 가지를 골라 알맞게 썼습니다.	상
	보기 의 내용 중 한 가지를 골라 썼지만 원고지 쓰기에서 틀린 부분이 있습니다.	중
	앞부분과 자연스럽게 이어지지 않는 엉뚱한 내용을 썼습니다.	하

4_일

115쪽 　^{똑똑한} **하루 글쓰기** 미리 보기

 - 행 동 ,　 - 느 낌 ,

 - 솔 직 하 게

116~117쪽 　^{똑똑한} **하루 글쓰기**

1 (1) 왕자처럼 남을 잘 도 와 주 는 사람이 되고 싶다
고 생각함.

(2) 너무 불 쌍 해 서 눈물이 남.

2 ❶ 왕자처럼 남 을 잘 도 와 주 는 사람이 되고
싶다고 생각했다.

❷ 너 무 불 쌍 해 서 눈물이 났다.

3
　왕자에게
　왕자야, 안녕? 네가 제비에게 네 몸의 보석을 빼서
불쌍한 사람들에게 나누어 주라고 부탁하는 장면을 보
고 나도 너처럼 ❶ ^예 <u>남을 잘 도와주는 사람이 되고</u>
<u>싶다고 생각했어.</u>
　그리고 네 동상이 버려진 장면에서는 네가 ❷ ^예 <u>너</u>
<u>무 불쌍해서 눈물이 났어.</u>
　하늘나라에서 제비와 함께 잘 지내길 바랄게.

1 (1) 왕자가 불쌍한 사람들을 돕는 장면에 대한 생각
이나 느낌으로 알맞은 낱말을 골라 봅니다.

(2) 왕자의 동상이 버려진 장면에 대한 생각이나 느
낌으로 알맞은 낱말을 골라 봅니다.

（ 더 알아보기 ）

「행복한 왕자」에 대한 생각이나 느낌 ^예
• 남을 위하여 자신의 모든 것을 헌신하는 왕자가 대단하
다는 생각이 들었다.
• 마을 사람들이 왕자와 제비의 동상을 다시 세우고 오랫
동안 그 일을 기억했으면 좋겠다.

2 각 장면에 대한 생각이나 느낌을 문장으로 씁니다.

3 왕자가 한 말이나 행동을 보고 어떤 생각이나 느낌
이 들었는지 써넣어 쪽지를 완성해 봅니다.

채점 기준

　❶과 ❷에 각 장면에 대한 생각이나 느낌을 알맞게 써
넣어 왕자에게 쓰는 쪽지를 완성했으면 정답으로 합니다.

118쪽 　^{똑똑한} **하루 글쓰기** 받아쓰기

1 ❶ 　작 가 에 게 ∨ 주 고 ∨ 와 .
　❷ 　동 상 은 ∨ 버 려 졌 어 요 .

2 ❶ 내 몸을 덮 고 있는 황금
　❷ 저 성 냥 팔 이 소녀에게 갖다 줘.

3 　하 늘 나 라 에 서 ∨ 새 ∨
　생 명 을 ∨ 얻 었 어 요 .

119쪽 　^{똑똑한} **하루 글쓰기** 마무리

　제비에게
　제비야, 왕자의 부탁을 거절하지 못하고 불쌍한 사람들
에게 왕자의 보석을 갖다 주는 걸 보니 너는 정말 ❶ ^예
<u>마음씨가 착한 것 같아.</u>
　그리고 추위와 배고픔으로 네가 지쳐 죽었을 때 ❷ ^예
<u>네가 너무 가여워서 마음이 아팠어.</u>
　하늘나라에서 왕자와 잘 지내길 바라.
　　　　　　　　　　　　　　　　 달래가

◉ 제비가 한 일과 제비가 죽은 장면에 대한 생각이나
느낌을 정리하여 쪽지를 완성해 봅니다.

채점 기준

구분	답안 내용	
평가 기준	❶에는 제비가 한 일에 대한 생각이나 느낌, ❷에는 제비가 죽은 장면에 대한 생각이나 느 낌을 모두 알맞게 썼습니다.	상
	❶에는 제비가 한 일에 대한 생각이나 느낌, ❷에는 제비가 죽은 장면에 대한 생각이나 느 낌을 모두 썼지만 맞춤법이 틀린 부분이 있습 니다.	중
	❶과 ❷ 중 하나의 장면에만 생각이나 느낌 을 알맞게 썼습니다.	하

5일

121쪽 똑똑한 **하루 글쓰기** 미리 보기

❶ 만 화
❷ 칸
❸ 대 사

122~123쪽 똑똑한 **하루 글쓰기**

1 (1) 노인은 아들 대신 어른이 당 나 귀 를 타고 가야 한 다고 말함.

(2) 농부와 아들은 당나귀를 강 에 빠뜨려 잃고는 다른 사람의 의견을 무조건 따라 한 것을 후회함.

2 ❷ ㉎ 어린 아들이 아니라 어른이 당나귀를 타고 가야지! / ㉎ 버릇없이 어린 녀석이 당나귀를 타고, 어른이 걷 다니. 어른이 당나귀를 타야 할 게 아니오.

❺ ㉎ 생각 없이 남의 말만 따라 하다 소중한 당나귀만 잃었 네! / ㉎ 어쩌면 좋아? 전 재산인 당나귀를 잃고 말았으니!

1 (1) 노인은 아들 대신 어른인 농부가 당나귀를 타고 가야 한다고 말하였습니다.

(2) 농부와 아들은 당나귀를 강에 빠뜨렸습니다.

┌─ 더 알아보기 ─┐
의견이 적절한지 판단해야 하는 까닭

• 사람마다 생각이 다르기 때문입니다.

• 적절하지 못한 의견을 따라 결정하면 잘못된 판단을 할 수 있기 때문입니다.

• 뜻하지 않게 잘못된 결과가 나올 수 있기 때문입니다.

2 장면 ❷에서는 노인이 한 말을, 장면 ❺에서는 농부 와 아들이 한 말을 대사로 써넣어 봅니다.

채점 기준

각 장면에서 노인, 농부와 아들이 어떤 말을 하였을지 그림에 어울리게 대사로 썼으면 정답으로 합니다.

124쪽 똑똑한 **하루 글쓰기** 받아쓰기

1 ❶ 당 나 귀 를 ∨ 팔 러
❷ 두 ∨ 번 째 ∨ 만 난

2 ❶ 두 사람이 함께 타면 좋 잖 아 요 .
❷ 장사꾼 몇 사람이 농부에게 나 무 라 듯 말했습니 다.

3 갑 자 기 ∨ 발 버 둥 을 ∨ 쳤 습 니 다 .

125쪽 똑똑한 **하루 글쓰기** 마무리

○ 그림을 색칠하고 사자와 생쥐의 대사를 각각 써넣어 봅니다.

채점 기준

구분	답안 내용	
평가 기준	그림을 알맞게 색칠하고 사자와 생쥐의 대 사를 모두 알맞게 썼습니다.	상
	사자와 생쥐의 대사를 알맞게 썼지만 그림 을 알맞게 색칠하지 못하였습니다.	중
	그림은 알맞게 색칠했지만 사자와 생쥐의 대사를 알맞게 쓰지 못하였습니다.	하

특강 똑똑한 **하루** 창의·융합·코딩

127쪽

내 동생은 귀 가 얇 다 . 그래서 내 말에 잘 속는다.

128쪽

○ '금은보화'는 '금, 은, 진주 따위의 매우 귀중한 물건.'이라는 뜻의 낱말이고, '허름하다'는 '좀 헌 듯하다.'라는 뜻의 낱말이며, '부자'는 '아버지와 아들을 아울러 이르는 말.'이라는 뜻의 낱말입니다.

┌─── 《 더 알아보기 》 ───
소리가 같지만 뜻이 다른 낱말 예

• 부자(父子): 아버지와 아들을 아울러 이르는 말.	• 부자(富者): 재물이 많아 살림이 넉넉한 사람.
• 배: 사람이나 동물의 몸에서, 가슴 아래에서 다리 위까지의 부분.	• 배: 배나무의 열매.

129쪽

 토끼가 도착할 때까지 모은 당근은 모두 25 개예요.

○ 토끼는 5개의 당근이 든 바구니를 5개 모았습니다. '5×5=25'이므로 25개의 당근을 모았습니다. 곱셈을 모르는 경우에는 '5+5+5+5+5=25'와 같은 방법으로 답을 구할 수도 있습니다.

130쪽

○ 제비는 → 방향으로 한 칸, ↓ 방향으로 한 칸씩 3번 반복해서 이동해야 성냥팔이 소녀에게 갈 수 있습니다.

131쪽

○ 「부자와 당나귀」에서 농부와 아들이 다른 사람의 의견을 무조건 따라 하다 당나귀를 강에 빠뜨린 장면입니다. 서로 다른 부분을 찾아보며 이 이야기의 교훈을 다시 한번 떠올려 봅니다.

평가　　　　　　　　　　　**누구나 100점** 테스트

132~133쪽

1 독서록　　　　　　　　　**2** 금은보화

3 (1) 소개하는 말: 제비의 다친 다 리 를 치료해 주고 제
　　비가 물어다 준 박씨를 심어 부자가 되었다.
　　(2) 성격: 마음씨가 착 하 다 .

4 왜　　　　　　　　　　　**5** (1) ×

6 현솔　　　　　　　　　　**7** ©

8 쪽지

9 나도 너처럼 남을 잘 돕는 사람이 되고 싶다고 생각했어.

10 고 마 워 !

---

1 책을 읽고 나서 줄거리, 생각, 느낌 따위를 기록한
글은 독서록입니다.

2 '금, 은, 옥, 진주 따위의 매우 귀중한 물건.'이라는
뜻의 낱말은 '금은보화'입니다. '박씨'는 '속은 나물
로 먹고 겉은 반으로 쪼개어 바가지를 만드는, 덩굴
에 열리는 크고 둥근 열매인 박의 씨.'를 말합니다.

3 (1) 흥부는 제비의 다친 다리를 치료해 주었습니다.
　　(2) 흥부가 제비의 다친 다리를 치료해 준 것으로 보
　　아, 마음씨가 착한 성격임을 알 수 있습니다.

┌─── **더 알아보기** ───┐

「흥부 놀부」 이야기의 사건에 대해 더 알아보기

❶		놀부가 흥부를 내쫓음.
❷		흥부가 제비의 다친 다리를 정성껏 치료해 줌.
❸		흥부는 부자가 되고, 샘이 난 놀부는 제비 다리를 일부러 부러뜨리고 치료해 줌.
❹		못된 놀부는 벌을 받음.

4 독서록에 책 내용을 간추려 쓸 때에는 누가, 언제,
어디에서, 무엇을, 왜 하였는지 찾아서 정리합니다.

5 (1)의 '꼬마 사또를 하찬케 여겼다'에서 '하찬케'는
'하찮게'로 고쳐 써야 합니다.

6 뒷이야기를 상상하여 쓸 때에는 앞부분과 자연스럽
게 이어지도록 써야 합니다. 「토끼전」의 뒷이야기
를 앞부분과 자연스럽게 이어지도록 쓴 사람은 현솔
입니다.

┌─── **왜 틀렸을까?** ───┐

　육지로 돌아간 토끼는 "이 어리석은 자라야! 이 세상에
어떤 동물이 간을 꺼내 놓고 산단 말이냐? 용왕은 욕심도
많구나. 자기 목숨이 귀하면 남의 목숨도 귀한 줄 알아야
지."라고 말하며 숲속으로 달아나 버렸습니다. 따라서 채
민이가 상상한 내용은 이와 같은 앞부분과 자연스럽게 이
어지지 않습니다.

7 ©'만쿠나'는 '많구나'라고 고쳐 써야 합니다.

8 이 글은 「행복한 왕자」 이야기를 읽고 독서록에 쓴
왕자에게 보내는 쪽지입니다.

9 왕자는 제비에게 자기 몸의 보석을 빼서 불쌍한 사
람들에게 나누어 주라고 하였습니다. 글쓴이는 이와
같은 일을 한 왕자와 같은 사람이 되고 싶다고 하였
으므로 빈칸에 알맞은 말은 '남을 잘 돕는'입니다.

10 생쥐가 그물에 걸린 사자를 구해 주었기 때문에 사
자는 생쥐에게 고맙다는 말을 하였을 것입니다.

한 주 동안
수고했어요~!

136~137쪽 이번 주에는 무엇을 공부할까? ❷

1-1 (1) ○   1-2 마음
2-1 (1) 상황 (2) 말 (3) 까닭   2-2 부탁하는 말

1-1 부탁하는 글은 누군가에게 부탁하고 싶은 것이 있을 때 부탁받는 사람의 마음을 생각하며 쓰는 글입니다.

1-2 부탁하는 글은 부탁받는 사람의 마음을 생각하며 써야 합니다.

2-1 부탁하는 글을 쓰기 전에 부탁하는 상황을 떠올리고, 부탁하는 말과 부탁하는 까닭을 씁니다.

2-2 밑줄 그은 부분은 아빠께 부탁하는 말을 한 것입니다.

139쪽   똑똑한 하루 글쓰기 미리 보기

140~141쪽   똑똑한 하루 글쓰기

1 (1) 교실에 재활용 쓰레기 분류가 제대로 되지 않는다.
  (2) 부모님과 함께 동물원에 가고 싶다.

2 (1)
교	실	에	V	재	활	용	V	쓰
레	기	V	분	류	가	V	제	대	로	V
되	지	V	않	아	V	지	저	분	하
다	.								

(2)
이	번	V	주	말	에	V	부	모
님	과	V	함	께	V	동	물	원	에	V
가	고	V	싶	다	.				

1 (1) 그림에서 재활용 쓰레기 분류가 제대로 되어 있지 않습니다.
  (2) 여자아이는 텔레비전을 보면서 부모님과 함께 동물원에 가고 싶어 합니다.

2 1에서 쓴 내용을 넣어 부탁하는 상황 두 가지를 정리해서 써 봅니다.

채점 기준

그림을 보고 부탁하는 상황을 잘 떠올려 썼으면 정답입니다.

(더 알아보기)
부탁하는 상황 떠올리기
누군가에게 부탁하는 글을 쓰기 전에 먼저 내가 누구에게 왜 부탁하는 글을 쓰게 되었는지 부탁하는 상황을 떠올려 봅니다.

142쪽   똑똑한 하루 글쓰기 받아쓰기

1 ❶
	재	활	용	V	쓰	레	기

❷
	놀	러	V	가	고	V	싶	어	.

2 ❶ 교실에서 뛰어다니는 친구가 많 다 .

❷ 생일 선물로 장 난 감 을 받고 싶다.

3
	새	V	스	마	트	폰	이	V	갖
고	V	싶	다	.					

143쪽   똑똑한 하루 글쓰기 마무리

❶
	친	구	가		자	꾸		별	명
을		부	르	며		놀	린	다	.

❷
	부	모	님	께	서		나	와
동	생	을		차	별	하	신	다	.

○ 그림 ❶에서 친구가 별명을 부르며 놀리는 상황임을 알 수 있습니다. 그림 ❷에서 부모님께서 나와 동생을 차별하시는 상황임을 알 수 있습니다.

채점 기준

구분	답안 내용	
평가 기준	그림 ❶과 ❷를 보고 부탁하는 상황에 알맞은 문장을 썼습니다.	상
	그림 ❶과 ❷를 보고 부탁하는 상황에 알맞은 문장을 썼으나 띄어쓰기가 틀린 부분이 있습니다.	중
	그림 ❶과 ❷ 중 부탁하는 상황에 알맞은 문장을 하나만 썼습니다.	하

2일

145쪽 똑똑한 **하루 글쓰기** 미리 보기

 – 부 탁 , – 자 세 히 ,

– 예 의

146~147쪽 똑똑한 **하루 글쓰기**

1 (1) 제 생 일 이 다가옵니다.
　(2) 생일 선물로 자 전 거 를 사 주세요.
2 제 생 일 이 다가오는데 생일 선물로 자 전 거 를 사 주 세 요 .
3

	제	∨	생	일	이	∨	다	가	오
는	데	∨	생	일	∨	선	물	로	∨
자	전	거	를	∨	사	∨	주	세	요	.

1 (1) 생일잔치를 하고 있는 그림과 문장에 어울리는 낱말은 '생일'입니다.
　(2) 그림을 통해 자전거를 선물 받고 싶은 친구의 마음을 알 수 있습니다.

2 **1**에서 쓴 부탁하는 말을 한 문장으로 이어서 써 봅니다.

3 **2**에서 쓴 문장을 원고지에 한 번 더 써 봅니다.

채점 기준

한 문장으로 정리한 부탁하는 말을 원고지에 바르게 썼으면 정답입니다.

148쪽 똑똑한 **하루 글쓰기** 받아쓰기

1 ❶

	뭐	∨	사	∨	주	신	대	?	

❷

	자	전	거	가	∨	있	었	으	면

2 ❶ 토요일에 놀 이 동 산 에 가요.

❷ 운동장에 쓰 레 기 를 버리지 마세요.

3

	현	관	문	에	∨	광	고	지	를	∨
붙	이	지	∨	마	세	요	.		

149쪽 똑똑한 **하루 글쓰기** 마무리

❶ 예

	선	생	님	,		친	해	지	고
싶	은		사	람	과		짝	을	
하	게		해		주	세	요	.	

❷ 예

	엄	마	,		바	이	올	린	을
배	우	게		해		주	세	요	.

○ 그림 ❶과 그림 ❷를 보고 부탁하는 상황을 떠올려 부탁하는 말을 써 봅니다.

채점 기준

구분	답안 내용	
평가 기준	그림 ❶과 ❷의 부탁하는 상황을 떠올려 부탁하는 말을 알맞게 썼습니다.	상
	그림 ❶과 ❷의 부탁하는 상황을 떠올려 부탁하는 말을 썼으나 맞춤법과 띄어쓰기가 틀린 부분이 있습니다.	중
	그림 ❶과 ❷ 중 하나의 부탁하는 말만 알맞게 썼습니다.	하

【 더 알아보기 】

부탁하는 말을 쓰는 방법

　부탁하는 말을 쓸 때에는 부탁받는 사람의 마음을 먼저 생각해야 합니다. 그리고 부탁받는 사람이 부담스러워 하지 않고, 들어줄 수 있는 부탁을 써야 합니다.

3일

151쪽

^{똑똑한} **하루 글쓰기** 미리 보기

심심할 때 동생과 재미있게 놀 수 있어요.

부탁하는 까닭

부탁하는 말

새로 나온 게임기를 사 주세요.

152~153쪽

^{똑똑한} **하루 글쓰기**

1 (1) 낮에 피아노 소리가 너무 커서 공부 에 방해가 돼요.

　(2) 밤늦게까지 쿵쿵거려서 잠 을 잘 수 없어요.

2 ❶ 낮에 피아노 소리가 너무 커서 공부에 방해 가 돼요.

　❷ 밤늦게까지 쿵쿵거려서 잠을 잘 수 없어 요.

3 ❶ 낮에 피아노 소리가 너무 커서 공부에 방해가 돼요. 또

　❷ 밤늦게까지 쿵쿵거려서 잠을 잘 수 없어요.

1 (1) 지수는 낮에 위층에서 피아노 소리를 너무 크게 내서 공부를 할 수 없었습니다.

　(2) 지수는 밤에 위층에서 쿵쿵 뛰어다녀서 잠을 잘 수 없었습니다.

2 1에서 일어난 일을 두 문장으로 다시 써 봅니다.

3 2에서 쓴 문장을 넣어 부탁하는 까닭을 써 봅니다.

채점 기준

　부탁하는 말에 대한 부탁하는 까닭을 알맞게 썼으면 정답입니다.

【 더 알아보기 】

부탁하는 글에 부탁하는 까닭을 써야 하는 이유

　부탁하는 글은 부탁하는 말과 함께 부탁하는 까닭을 써야 합니다. 그래야 부탁받는 사람이 왜 이런 부탁을 하는지 잘 이해할 수 있고, 부탁을 잘 들어줄 수 있기 때문입니다.

154쪽

^{똑똑한} **하루 글쓰기** 받아쓰기

1 ❶ | 집 | 중 | 할 | V | 수 | 가 | V | 없 | 어 | . |

　❷ | 너 | 무 | V | 시 | 끄 | 럽 | 네 | … | … |

2 ❶ 정리된 방을 보면 기 분 이 좋아져.

　❷ 등 산 을 하면 몸이 건강해질 것 같아요.

3 | 물 | 건 | 을 | V | 제 | 자 | 리 | 에 | V |
| 두 | 면 | V | 찾 | 기 | V | 쉽 | 다 | . |

155쪽

^{똑똑한} **하루 글쓰기** 마무리

㉘ 함부로 버린 쓰레기 때문에 벌레가 생깁니다.

㉘ 버려진 쓰레기 때문에 집 앞이 너무 지저분합니다.

㉘ 쓰레기를 치우고 청소하는 데 시간이 많이 걸립니다.

◉ 그림을 보고 부탁하는 상황을 떠올려 '남의 집 앞에 쓰레기를 버리지 마세요.'라는 부탁하는 말에 어울리는 부탁하는 까닭을 보기 에서 골라 써 봅니다.

채점 기준

구분	답안 내용	
평가 기준	보기 중 한 가지를 골라 맞춤법과 띄어쓰기에 맞게 잘 썼습니다.	상
	보기 중 한 가지를 골라 썼지만 맞춤법과 띄어쓰기가 틀린 부분이 있습니다.	중
	부탁하는 말에 어울리는 알맞은 부탁하는 까닭을 쓰지 못하였습니다.	하

4일

157쪽 — 똑똑한 하루 글쓰기 미리 보기

❶ 자세하게 ❷ 마음 ❸ 예의

소	예	의	자
리	요	루	세
마	음	글	하
감	사	씨	게

158~159쪽 — 똑똑한 하루 글쓰기

1 (1) 해찬이가 수업 시간에 나에게 자꾸 말 을 건다.

(2) 해찬이가 수업 시간에 나에게 장 난 을 친다.

2

해	찬	아	,		수	업	∨	시	간
에	∨	말	을	∨	걸	고	∨	장	난
을	∨	치	지	∨	말	아	∨	줘	.

3 예 수업에 집중할 수 없어.

예 선생님 말씀을 잘 들을 수 없어.

1 (1) 해찬이가 수업 시간에 하니에게 자꾸 말을 건다고 하였습니다.

(2) 해찬이가 하니에게 자꾸 장난을 친다고 하였습니다.

2 하니는 1에서 쓴 부탁하는 상황을 떠올려 해찬이에게 수업 시간에 말을 걸고 장난을 치지 말라고 부탁하는 말을 할 것입니다.

3 2에서 쓴 '해찬아, 수업 시간에 말을 걸고 장난을 치지 말아 줘.'라는 하니의 부탁하는 말에 대한 부탁하는 까닭을 보기 에서 골라 씁니다.

> **채점 기준**
>
> 부탁하는 말에 대한 부탁하는 까닭을 보기 에서 한 가지 골라 바르게 썼으면 정답입니다.

160쪽 — 똑똑한 하루 글쓰기 받아쓰기

1 ❶

| | 고 | 민 | 이 | ∨ | 생 | 겼 | 다 | . | |

❷

| | 공 | 부 | 를 | ∨ | 방 | 해 | 했 | 다 | . |

2 ❶

| 복 | 도 | 에서 뛰어다니지 말아 줘. |

❷ 장난감을 가지고 논 뒤에 | 제 | 자 | 리 | 에 두었으면 좋겠다.

3

| | 도 | 서 | 관 | 에 | 서 | 는 | ∨ | 조 | 용 |
| 히 | ∨ | 해 | 야 | ∨ | 해 | . | | | |

161쪽 — 똑똑한 하루 글쓰기 마무리

예		예	원	아	,		지	우	개	를
쓰	고		바	로		돌	려	줬	으
면		좋	겠	어	.		내	가		필
요	할		때		쓸		수	가	
없	어	서		불	편	해	.		

◉ 대화를 보고 예원이에게 부탁하는 말과 부탁하는 까닭을 밑줄 그은 부분에서 찾아서 부탁하는 글을 써 봅니다.

> **채점 기준**
>
> | 구분 | 답안 내용 | |
> |---|---|---|
> | 평가 기준 | 밑줄 그은 부탁하는 말과 부탁하는 까닭을 넣어서 맞춤법과 띄어쓰기에 맞게 잘 썼습니다. | 상 |
> | | 밑줄 그은 부탁하는 말이나 부탁하는 까닭을 넣어서 썼지만 맞춤법과 띄어쓰기가 틀린 부분이 있습니다. | 중 |
> | | 부탁하는 말이나 부탁하는 까닭 중 하나만 넣어서 썼습니다. | 하 |

> **〔 더 알아보기 〕**
>
> **친구에게 부탁하는 글을 쓰는 방법**
> • 부탁하는 상황을 떠올려 봅니다.
> • 어떤 부탁하는 말을 할지 생각해 씁니다.
> • 친구가 자신의 부탁을 잘 들어줄 수 있도록 부탁하는 까닭을 자세하게 씁니다.

5일

163쪽 — 똑똑한 하루 글쓰기 미리 보기

- 생각, 🤖 - 까닭,
😁 - 높임말

164~165쪽 — 똑똑한 하루 글쓰기

1 (1) 아빠와 국립항공박물관에 가 보고 싶다.

　(2) 여러 가지 체험을 직접 해 보고 싶다.

2 | 아 | 빠 | , | 이 | 번 | ∨ | 주 | 말 | 에 | ∨ |

　국립항공박물관에 ∨ 함

　께 ∨ 가 요 .

3 아빠, 제 꿈은 비행사예요. 제 꿈을 이루기 위해 국립항공박물관에서 여러 가지 체험을 직접 해 보면 좋을 것 같아요.

1 (1) 세준이는 아빠와 함께 국립항공박물관에 가고 싶어 합니다.

　(2) 세준이는 국립항공박물관에서 여러 가지 체험을 직접 해 보고 싶다고 하였습니다.

2 세준이는 국립항공박물관을 찾아가 여러 가지 체험을 해 보고 싶어 합니다. 그러므로 아빠께 '이번 주말에 국립항공박물관에 함께 가요.'라는 부탁하는 말을 할 것입니다.

3 2에서 쓴 '아빠, 이번 주말에 국립항공박물관에 함께 가요.'라는 부탁하는 말에 어울리는 부탁하는 까닭을 보기 에서 골라 써 봅니다. 「세준이의 꿈」과 1에서 쓴 부탁하는 글을 쓰는 상황을 잘 살펴봅니다.

채점 기준

보기 의 말을 넣어 부탁하는 까닭을 알맞게 썼으면 정답입니다.

166쪽 — 똑똑한 하루 글쓰기 받아쓰기

1 ❶ 내 ∨ 꿈 은 ∨ 비 행 사 다 .

　❷ 하 늘 을 ∨ 나 는 ∨ 것

2 ❶ 선생님, 숙제를 조금만 내 주세요.

　❷ 아빠, 자전거 타는 방법을 알려 주세요.

3 엄 마 , 피 아 노 ∨ 학 원
에 ∨ 보 내 ∨ 주 세 요 .

167쪽 — 똑똑한 하루 글쓰기 마무리

예 엄마께 / 저 하은이예요. 매년 언니 옷을 물려주시는데 저도 언니 옷 말고 새 옷이 입고 싶어요. 언니 옷 중에는 낡은 옷도 많아서 입기가 싫어요. 엄마, 제게도 새 옷을 사 주세요. / 사랑스러운 딸 하은 올림

예 엄마께 / 저도 언니처럼 새 옷을 사서 입고 싶어요. 언니 옷만 입으니 제가 입고 싶은 옷을 입지 못하고, 저한테 어울리지 않는 옷을 입게 돼요. 엄마, 제 마음에 들고 저한테 어울리는 새 옷을 사 주세요. / 사랑스러운 딸 하은 올림

○ 그림에서 하은이가 부탁하는 글을 쓰게 된 상황을 생각해 보고, 하은이가 되어 엄마께 부탁하는 글을 써 봅니다.

채점 기준

구분	답안 내용	
평가 기준	부탁하는 상황을 잘 파악하여 부탁하는 말과 부탁하는 까닭을 넣어 부탁하는 글을 잘 썼습니다.	상
	부탁하는 말과 부탁하는 까닭을 넣어 부탁하는 글을 썼으나 맞춤법이나 띄어쓰기가 틀린 부분이 있습니다.	중
	부탁하는 말만 간단하게 넣어 썼습니다.	하

(더 알아보기)

부모님이나 웃어른께 부탁하는 글을 쓰는 방법

　부모님이나 웃어른께서 내 부탁을 들어줄 수 있는지 생각해 보고, 부탁하는 까닭을 자세하게 들어, 높임말로 공손하게 씁니다.

특강 — 똑똑한 하루 창의·융합·코딩

169쪽

"바늘 가는 데 실 간다"라는 속담처럼 나와 친구는 항상 같이 붙어 다닌다.

170쪽

○ '종류에 따라서 쪼개거나 나누어 따로따로 되게 함.'이라는 뜻의 낱말은 '분류', '남의 말을 높여 이르는 말.'이라는 뜻의 낱말은 '말씀', '남의 일을 간섭하고 막아 해를 끼침.'이라는 뜻의 낱말은 '방해'입니다.

〔 왜 틀렸을까? 〕

• **비교**: 둘 이상의 사물을 견주어 서로 간의 비슷한 점, 다른 점 등을 깊이 생각하고 연구하는 일.

  예 내 짝은 나와 비교가 안 될 만큼 그림을 잘 그린다.

• **설교**: 어떤 일의 견해나 관점을 다른 사람이 수긍하도록 단단히 타일러서 가르침. 또는 그런 가르침.

  예 형은 나에게 긴 설교를 늘어놓았다.

• **도움**: 남을 돕는 일.

  예 길에서 어떤 사람이 나에게 도움을 구하였다.

171쪽

○ 재활용 쓰레기를 분류해서 깨끗해진 교실의 모습을 비교해 보며 서로 다른 부분을 찾아봅니다.

172쪽

• 알을 낳는 동물: 비단뱀, 독수리, 펭 귄
• 새끼를 낳는 동물: 사자, 코끼리, 원 숭 이

○ 펭귄의 말을 통해 펭귄은 알을 낳는다는 것을 알 수 있고, 원숭이의 말을 통해 원숭이는 새끼를 낳는다는 것을 알 수 있습니다.

173쪽

세준이가 도착한 체험관은 기 내 훈 련 체 험 관 입니다.

○ 세준이가 코딩 명령에 따라 이동하면 다음과 같습니다.

평가 누구나 100점 테스트

174~175쪽

1 부탁하는 글

2

생	일	∨	선	물	로	∨
자	전	거	를	∨	받	고	∨
싶	다	.				

3 (1) ② (2) ①   4 (2) ○

5 엄마, 바이올린 을 배우게 해 주세요.

6 부탁하는 글을 쓸 때에는 부탁하는 말과 함께 왜 그런 부탁을 하는지 부탁하는 까닭 을 자세히 써야 해요.

7 (1) ① (2) ②   8 희수

9 말씀   10 (2) ○

1 부탁하는 글은 누군가에게 부탁하고 싶은 것이 있을 때 부탁받는 사람의 마음을 생각하며 쓰는 글입니다.

(왜 틀렸을까?)
사과하는 글은 누군가에게 잘못한 일이 있을 때 미안한 마음을 담아 솔직하게 쓰는 글입니다.

2 그림을 통해 남자아이가 생일 선물로 자전거를 받고 싶어 한다는 것을 알 수 있습니다.

3 그림 (1)은 남자아이가 여자아이의 별명을 부르고 있는 상황이고, 그림 (2)는 부모님께서 동생을 더 예뻐하고 계신 상황입니다.

4 그림의 상황은 현관문에 광고지가 많이 붙어 있는 상황으로, (2)의 부탁하는 말이 알맞습니다.

(왜 틀렸을까?)
(1) '쓰레기 분리배출을 잘해 주세요.'에 맞는 그림은 다음과 같습니다.

5 그림에서 여자아이는 바이올린을 배우고 싶어 합니다.

6 부탁하는 글을 쓸 때에는 부탁하는 말과 함께 부탁하는 까닭을 자세히 써야 합니다.

7 ㉠ '아빠, 이번 주 토요일에 함께 산에 가요.'는 부탁하는 말이고, ㉡ '산에 가면 기분이 상쾌하고 건강해지는 기분이 들어서 좋아요.'는 부탁하는 까닭에 해당합니다.

8 희수가 '새로 나온 게임기를 사 주세요.'라는 부탁하는 말에 대한 부탁하는 까닭을 바르게 말했습니다.

(왜 틀렸을까?)
서윤이는 아빠께 운동화도 함께 사 달라는 또 다른 부탁하는 말을 하고 있습니다.

9 '말'의 높임말은 '말씀'입니다.

10 그림에서 여자아이는 피아노 치는 모습을 떠올리고 있습니다. 이로 보아 피아노 학원에 보내 달라는 부탁을 하고 싶어 합니다. 따라서 부탁하는 말과 부탁하는 까닭을 넣어서 알맞게 쓴 글은 (2)입니다.

다음 권에서 다시 만나요~!

편지 쓰기

기억에 남는 일을
일기로 남겨 봐요.

즐겁고 행복했던 일

날짜: _____   날씨: _____

제목: _____

슬프고 속상했던 일

날짜: _____   날씨: _____

제목: _____

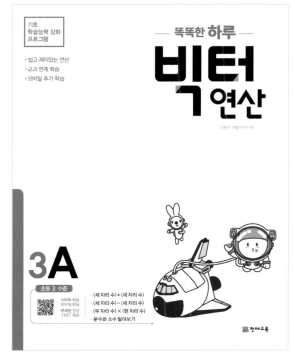

정답은
이안에
있어 !

국어
예비초~초6

수학
예비초~초6

영어
예비초~초6

**봄·여름
가을·겨울**

(바·슬·즐)
초1~초2

안전

초1~초2

사회·과학
초3~초6

배움으로 행복한 내일을 꿈꾸는
천재교육 커뮤니티 안내

 교재 안내부터 구매까지 한 번에!
천재교육 홈페이지

자사가 발행하는 참고서, 교과서에 대한 소개는 물론
도서 구매도 할 수 있습니다. 회원에게 지급되는 별을 모아
다양한 상품 응모에도 도전해 보세요!

 다양한 교육 꿀팁에 깜짝 이벤트는 덤!
천재교육 인스타그램

천재교육의 새롭고 중요한 소식을 가장 먼저 접하고 싶다면?
천재교육 인스타그램 팔로우가 필수!
깜짝 이벤트도 수시로 진행되니 놓치지 마세요!

 수업이 편리해지는
천재교육 ACA 사이트

오직 선생님만을 위한, 천재교육 모든 교재에 대한 정보가 담긴
아카 사이트에서는 다양한 수업자료 및 부가 자료는 물론
시험 출제에 필요한 문제도 다운로드하실 수 있습니다.

https://aca.chunjae.co.kr

 천재교육을 사랑하는 샘들의 모임
천사샘

학원 강사, 공부방 선생님이시라면 누구나 가입할 수 있는 천사샘!
교재 개발 및 평가를 통해 교재 검토진으로 참여할 수 있는 기회는 물론
다양한 교사용 교재 증정 이벤트가 선생님을 기다립니다.

 아이와 함께 성장하는 학부모들의 모임공간
튠맘 학습연구소

튠맘 학습연구소는 초·중등 학부모를 대상으로 다양한 이벤트와 함께
교재 리뷰 및 학습 정보를 제공하는 네이버 카페입니다.
초등학생, 중학생 자녀를 둔 학부모님이라면 튠맘 학습연구소로 오세요!